P9-CKX-108

NOTA DEL EDITOR

Este es el quinto volumen de los diarios de Charlie Small, que fue encontrado por un equipo de arqueólogos que excavaban un yacimiento antes de que los constructores llegaran y levantaran allí un edificio nuevo. ¡Fue una suerte que lo encontraran porque, si no, este increíble documento se habría perdido bajo toneladas de hormigón!

Intrigado por el hallazgo, el doctor Septimus Vole, jefe de los arqueólogos, examinó detenidamente el diario y llegó a la misma conclusión que los editores: el diario de Charlie Small parece ser completamente auténtico.

Los editores, al enterarse del descubrimiento, pidieron incluirlo en su cada vez mayor colección de crónicas sobre las increíbles aventuras de Charlie Small. El doctor Vole accedió enseguida y ahora todos los volúmenes se encuentran en posesión del señor Nick Ward, conservador de los diarios de Charlie Small.

Al lado de este cuaderno, los arqueólogos encontraron más cosas: un enorme diente de cocodrilo y un telescopio roto. Por las anteriores aventuras de Charlie Small, sabemos que estos dos elementos forman parte de su equipo de explorador. Seguramente, Charlie los perdió, pues sabemos que él es muy cuidadoso con todas sus herramientas de explorador, así que esperamos que no haya sufrido un terrible accidente o que no haya sido capturado por un horrible adversario.

A causa de todo esto, los editores han decidido organizar una expedición para ir a buscar a Charlie Small. No nos detendremos hasta averiguar cuál es su paradero y, si es posible, traerlo de vuelta a casa. Lo que sigue en la siguiente página es una nota del jefe de la expedición.

La expedición de rescate de Charlie Small

¿Dónde está Charlie Small? ¿Podemos encontrarlo y ayudarlo a regresar a casa? ¿Cómo es posible tener al mismo tiempo cuatro años y cuatrocientos? ¿Los diarios de Charlie cuentan la verdad o son la patraña más elaborada del siglo?

Estas son algunas de las preguntas que todo el mundo se hace, ¡y los editores de los inverosímiles diarios de Charlie Small están decididos a encontrar las respuestas! En mi calidad de conservador de los diarios y de descubridor del primero de ellos, me han pedido que dirija una expedición en busca del pequeño aventurero.

Después de pasar meses estudiando minuciosamente un montón de mapas, por fin estoy listo. He contratado a un equipo de porteadores para que carguen con el equipo de exploración de esta misión. He preparado tiendas y hornillos, comida y sistemas de navegación por satélite, armas y municiones, arcos y flechas.

No sabemos cuál es el río por donde Charlie Small se puso en camino, pero he decidido empezar el viaje en el punto en que encontré el primero de los diarios. Navegaré hasta la costa y luego, si todavía no lo he encontrado, subiré a un barco que me lleve por los vastos y agitados océanos. ¿Hallaré alguna pista del paradero de nuestro héroe, Charlie Small? ¡Espero que sí!

Mandaré correos electrónicos de forma regular para que sepáis cómo me va, así que, por favor, consultad nuestra página de Internet www.charliesmall.co.uk para poneros al día. ¡Ay! Me acabo de clavar una astilla de madera de nuestra barca. Esta aventura quizá sea más peligrosa de lo que creí. ¡Deseadme suerte!

Sr. Mickelodious Trompery Ward

(Nick Ward)

CABALLERO Y EXPLORADOR, CONSERVADOR DE LOS DIARIOS DE CHARLIE SMALL

¡Oh no: todo
está oscuro!

¡Man-cha!

LAS INCREÍBLES AVENTURAS DE CHARLIE SMALL (400)

Libreta 5

¡Cha chán, cha chan!

EL MUNDO SUBTERRÁNEO

Título original: *Diario de Charlie Small. El mundo subterráneo*

Primera publicación por David Fickling Books, un sello de Random House Children's Books

Primera edición: octubre 2011

Marquès de l'Argentera, 17. Pral. 1.ª
08003 Barcelona
correo@rocaeditorial.com
www.rocaeditorial.com

Impreso por Brosmac, S.L.
Carretera Villaviciosa - Móstoles, km 1
Villaviciosa de Odón (Madrid)

ISBN: 978-84-15235-26-2
Depósito legal: B-33207-2011

NOMBRE Charlie Small

DIRECCIÓN: casa de Tom, Nichol Court, Castle Sadows, Mundo Subterráneo

EDAD: 400 (¡por lo menos!)

TELÉFONO MÓVIL: 07713 1223...

ESCUELA: Hace tiempo que casi no me acuerdo, pero creo que era St. Beckham

COSAS QUE ME GUSTAN Los gorilas, practicar la lucha con la espada, Braemar, Jenny y la abuelita Green; Boo France el salvaje, Nagachak y, aunque es una pesada ¡Nube Libre!

COSAS QUE ODIO: La capitana Cortagargantas (una matona), el rey de las marionetas (un supermatón), Horatio Ham (un matón y un imbécil), Joseph Craik (el peor matón de todos), Los Murciélagos Bárbaros Mapwai.

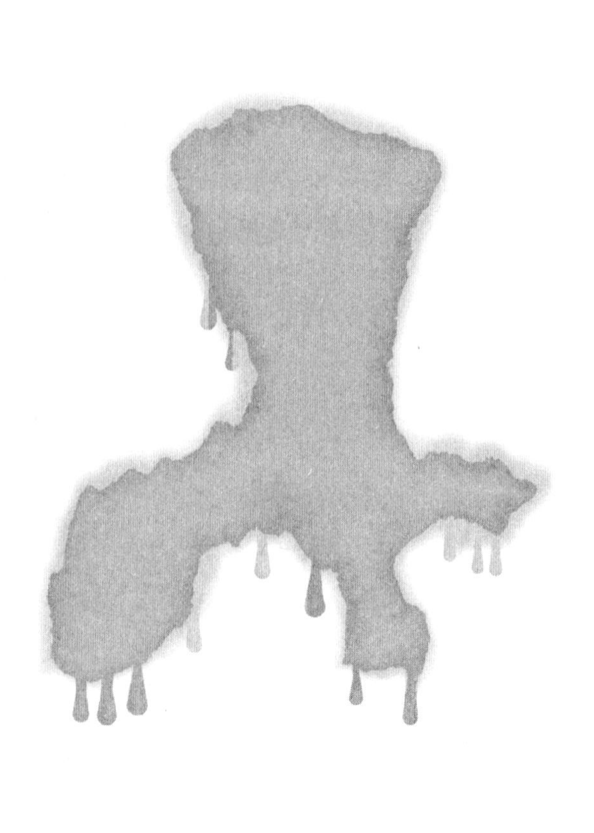

Si encontráis este libro, POR FAVOR, cuidadlo bien porque es la única narración verdadera de mis impresionantes aventuras.

Me llamo Charlie Small y tengo cuatrocientos años, quizá incluso más. Pero en todos estos largos años no he crecido. Algo pasó cuando tenía ocho años, algo que todavía no comprendo. Me fui de viaje... y todavía estoy buscando el camino de vuelta a casa. Ahora, a pesar de que he luchado contra un horrible Aracnión, de que he sido atacado por el monstruo Megatiburón y de que he quedado atrapado en unos túneles a un kilómetro bajo tierra, sigo siendo igual que cualquier chico de ocho años con el que os podéis cruzar por la calle.

He viajado hasta los confines de la tierra y hasta su centro. ¡Me ha perseguido una implacable banda de trogloditas, he escapado por los pelos de que me lanzaran al corazón ardiente de la Tierra! Quizá penséis que todo esto son fantasías, quizá penséis que estoy mintiendo, pero os equivocaríais porque TODO LO QUE SE CUENTA EN ESTE LIBRO ES VERDAD. Creedlo y haréis el viaje más increíble que nunca hayáis imaginado.

Charlie Small

El ataque de los hombres mono

Casi sin respiración, corrí a toda pastilla por el oscuro túnel que se hundía cada vez más en el duro suelo de roca. Oía a mis espaldas los pesados pasos del hombre mono de colmillos afilados, cubierto de pelo y de duros músculos. ¡Me iba ganando terreno rápidamente!

A la luz de la linterna veía que el túnel se prolongaba por delante hasta perderse en la oscuridad. No había forma de escapar y ningún lugar donde esconderse. ¿Qué iba a hacer? ¡Socorro!

–*¡Man-cha!* –gritó el hombre mono de Neandertal.

Al oír esa palabra me sobresalté, porque me pareció reconocerla. Se parecía a una palabra que había aprendido en la Ciudad de los Gorilas y pensé que quizá esos hombres mono hablaran un idioma parecido. «Cha» significaba «banana» en el idioma de los gorilas y, por los ruidos que el hombre mono hacía con la boca y la lengua, supuse que «man-cha» significaba ¡«hombre-banana» o «hombre-comida»! ¡Vaya, quería que yo fuera su aperitivo!

–*¡Man-cha!* –volvió a gritar.

De repente, cientos de voces empezaron a gritar lo mismo:

–*¡Man-cha, man-cha, man-cha!*

Una horda de hombres mono se había unido a la persecución, que se estaba convirtiendo en una especie de horrorosa caza del zorro: ¡y el zorro era yo!

Corrí a toda velocidad por el túnel con esa criatura a pocos pasos de mí, temiendo que, en cualquier momento, una mano peluda me sujetara por el hombro. Pero cuando hubimos recorrido tan solo unos cuantos metros más, un enorme animal parecido a una rata salió disparado de un agujero en la pared. Era grande como un tejón, y se coló entre mis piernas y se puso en medio del paso del hombre mono.

– *¡Man-cha!* –gritó este otra vez.

El hombre mono se lanzó sobre el desafortunado animal, que chilló y se retorció mientras el hombre mono rugía y se lo llevaba a la boca. No quise ver lo que pasó luego; tampoco tenía tiempo de hacerlo. Salté al agujero por el cual había salido la rata. Era un poco angosto, pero conseguí colarme por él.

Desde dentro de la apretada madriguera miré hacia el túnel, donde se había desatado el caos absoluto. El resto de la tribu había dado alcance a mi perseguidor y, al ver que este había encontrado comida, lo atacaron en masa. Debían de estar hambrientos porque luchaban con ferocidad por los trozos más diminutos y gruñían, mordían y rechinaban los dientes sin parar.

Un rapado casi al ras

Me dio pena la rata, porque no tuvo ninguna oportunidad de escapar, pero me sentía aliviado de que no fuera a mí a quien esa banda de vándalos peludos se disputara. Pero ¡entonces estornudé!

Una mujer mono me oyó y vino corriendo hasta la entrada de la madriguera, metió el brazo y, aunque aparté la cabeza cuanto pude, me agarró por el pelo.

–¡Au! –grité.

Esa criatura me tiraba del pelo girando la mano a un lado y a otro, y empezó a arrastrarme como si sacara el corcho de una botella. ¡Mi cuchillo de caza! Necesitaba el cuchillo de caza, pero la madriguera era demasiado estrecha y no me permitía llevar la mano hasta la mochila, que tenía en la espalda. Entonces la mujer mono dio otro tirón y me arrastró hasta el agujero de entrada. ¡Estaba perdido!

En ese momento, mientras me impulsaba contra el suelo para alejarme hacia el fondo otra vez, mi mano tropezó con un trozo afilado de piedra. No sé si era un arma que los hombres mono habían tirado o si era un trozo de piedra natural, pero estaba muy afilada. La cogí y rápidamente me corté el pelo con ella justo por debajo de la mano de la mujer mono.

La mujer mono salió despedida hacia atrás y yo aproveché para alejarme hacia el fondo. Pero su rostro apareció otra vez por la boca de la madriguera y volvió a meter la mano dentro. Por suerte, no podía alcanzarme y solté un suspiro de alivio. La madriguera se ensanchaba un poco en el fondo y fui retrocediendo poco a poco con la esperanza de poder sentarme en algún momento.

La madriguera seguía ensanchándose y el suelo bajaba en pendiente a mis espaldas. Empecé a resbalar. Intenté sujetarme a algo para detenerme, pero el túnel bajaba cada vez más y enseguida me encontré deslizándome de espaldas en medio de una absoluta oscuridad. ¡Ay!

Bajando por una pendiente resbaladiza

Caí resbalando por el oscuro túnel. Estaba contento de estar fuera del alcance de los hombres mono, pero me sentía asustado porque no sabía adónde podía ir a parar.

¡Uau! De repente, salí disparado por los aires y aterricé en un suelo duro. ¡Ay! Mientras me frotaba el trasero dolorido, me puse en pie y encendí la linterna. Me encontraba en una cueva pequeña. Delante de mí había una entrada a otro túnel que era exactamente igual al túnel por el que me había perseguido el hombro mono. ¡Oh, fantástico! Me dejé caer en el suelo. Todo parecía ir mal. Cada vez que empezaba a pensar que las cosas mejoraban, acababa cayendo de culo en otra situación difícil.

A pesar de todo, yo había querido ir a explorar. Quería diversión, ¡y desde luego, la estaba consiguiendo! «Bueno, deja de lloriquear, Charlie, y mira la parte buena», me dije a mí mismo. Las cosas podían ser peores: en esos momentos podía estar sentado ante mi escritorio de St. Beckham haciendo los deberes de matemáticas. Pero, en lugar de eso, estaba atrapado a kilómetros de profundidad bajo tierra, y estaba viviendo una aventura asombrosa.

Tenía que continuar adelante. Quedarme sentado en una cueva no me serviría para encontrar la manera de salir de allí; pero primero, aprovechando la luz de mi fiel linterna, debía repasar mi equipo de explorador y escribir mi diario.

Un descanso

¡Bien! Mientras escapaba del hombre mono no se me había caído nada de la mochila. Esto es lo que llevaba en mi equipo de explorador en ese momento:

1) Una navaja multiusos
2) Un rollo de cordel
3) Una botella de agua (cada vez con menos agua)
4) Un telescopio
5) Una bufanda (¡aunque no sé si servirá, ahora que tiene un enorme agujero de bala justo en medio!)
6) Un billete viejo de tren (lo saqué de un cajón de casa y, de momento, no me he topado con ningún tren donde pueda utilizarlo)
7) Este diario
8) Un paquete de cromos de animales salvajes (muy útil)

¡COSAS QUE DA N MIEDO!
¡SOCORRO!
ANIMALES SALVAJES
COLECCIÓN DE CROMOS

El ojo del rinoceronte.

9) Un tubo de pegamento (para pegar todas las cosas interesantes en mi libreta)

10) Un ojo de cristal (mi mejor posesión y un recuerdo del amigo más valiente que hasta ahora he encontrado en mis viajes: el rinoceronte de vapor)

11) El cuchillo de caza, la brújula y la linterna que encontré en el esqueleto descolorido por el sol de un explorador perdido

12) El diente de un monstruoso cocodrilo de río

13) Una lupa
14) Una radio
15) Mi teléfono móvil y el cargador de cuerda 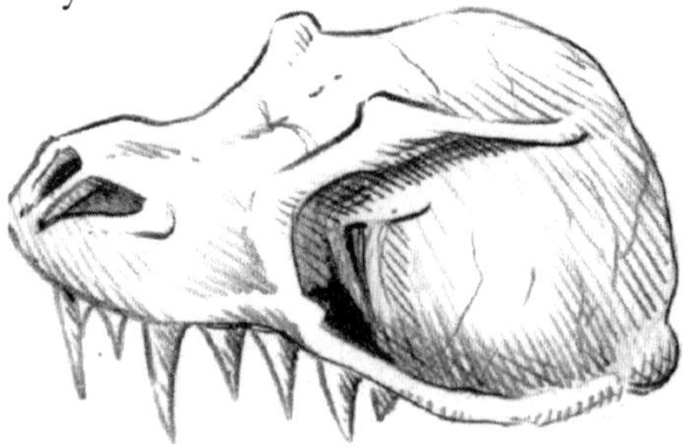
16) El cráneo de un murciélago bárbaro
17) Un fajo de mapas que he ido reuniendo durante mis viajes
18) Unos cuantos doblones del *Betty Mae*
19) Una bolsa de canicas
20) Un trozo grande del pastel de la abuelita Green, un poco deshecho pero delicioso todavía.
21) Un limón de plástico lleno de zumo de limón (que me fue muy útil contra una serpiente de cascabel que me encontré en el Salvaje Oeste)
22) Un diamante del tamaño de una avellana. El jefe Bien Sentado me lo regaló por haber ayudado a salvar a su hijo Nagachak, del Mapwai, el Gran Pájaro de la Muerte. Es tan valioso que lo llevo colgado del cuello con una tira de piel.

Me alegro de llevar conmigo el equipo de explorador. Me ha salvado un montón de veces. Si alguna vez decides lanzarte a una gran aventura, no te olvides de llevar uno. Nunca se sabe cuándo te será útil.

Cómo acabé bajo tierra

¡Y pensar que, justo esta mañana, caminaba alegremente por el desierto con mi amigo Jakeman, el inventor! Él acababa de decirme que *sabía cómo podía regresar a casa*, cuando *todo* empezó a ir mal.

¡De repente, una mano peluda y enorme salió de la arena del suelo, lo cogió por el tobillo y lo arrastró mientras él no dejaba de gritar y de dar patadas! (Ver mi diario *Los temerarios forajidos de Destino.*)

¿Qué estaba pasando? ¡Tenía que hacer algo! Me puse a cavar en la arena y encontré una tubería muy ancha que desaparecía en las profundidades de la Tierra. Sin pensarlo, salté dentro y caí en medio de la oscuridad. Al final aterricé en un estrecho túnel. Encendí la linterna y avancé hasta llegar a una grieta que había en la pared del túnel. ¡Miré por ella y vi una cosa que me disparó el corazón!

En una cueva grande y mal iluminada, una horda de criaturas medio hombres y medio monos estaban rompiendo piedras y llevándose los trozos en carretas. Iban vestidos con apolilladas pieles de animales y todos eran achaparrados, tenían unos hombros poderosos y unos brazos gruesos y musculosos. Sus rostros eran fieros y tenían unas cejas muy peludas. Rompían las piedras con unas mazas rudimentarias y sin dejar de gruñir en todo el rato.

¿Qué estaban haciendo? Pero no tuve tiempo de averiguarlo: de repente, una enorme y horrible cara con unos colmillos protuberantes me miraba desde el otro lado de la grieta. ¡Me habían localizado! El hombre mono rompió la pared del túnel que nos separaba con su pesado martillo, y yo ¡eché a correr!

Rápidamente, los demás también se lanzaron en mi persecución y corrí hasta que conseguí escapar por el agujero de la rata y llegué aquí. Había perdido mucho pelo, pero ¡todavía tenía la cabeza en mi sitio!

¡Esto sí es un mal corte de pelo!

Ahora ha llegado el momento de encontrar a Jakeman. ¿Lo capturaron esos monos peludos para comérselo o fue otra horrenda criatura la que lo arrastró hasta este lugar terrible? No tengo ni idea, pero estoy decidido a descubrirlo...

Tragado por la marea

Avancé por el túnel. Todo estaba en silencio y empezaba a sentirme solo, así que me puse a tararear una de esas canciones de campamento de los temerarios forajidos para mantener el ánimo alto. Por lo menos, ahí no parecía haber ningún hombre mono a la vista, ni ninguna de esas asquerosas ratas... o eso creía.

De repente oí un ruido, una especie de zumbido o de rugido muy grave, y me detuve en seco para escuchar. El ruido se iba haciendo más y más fuerte: era parecido al del agua, ¡y venía directamente hacia mí! Oh no, no me digas que los túneles se han inundado. Si una oleada de agua lo llenara todo, me lanzaría contra las rocas como si fuera una muñeca de trapo. Me di la vuelta para arrancar a correr, pero ya era demasiado tarde.

¡Shaaaash! Apareció de la oscuridad, avanzando por encima del suelo de roca y directamente hacia mí. Pero no era un río de agua. Era un torrente de ratas que se retorcían y avanzaban serpenteando. Había miles de ratas, igual de grandes que la que se había comido el hombre mono. Me tiré al suelo, me hice un ovillo y aguanté la respiración mientras una ola tras otra de horrendas y gordas ratas negras me pasaba por encima y continuaba avanzando por el túnel.

Sentía sus afiladas garras que me perforaban la sudadera, notaba los azotes de sus colas escamosas y solamente oía sus agudísimos chillidos. Era asqueroso, pero no podía hacer nada, excepto esperar a que pasaran todas.

En la oscuridad

Cuando se hubieron ido, me puse en pie, me sacudí con un escalofrío y continué avanzando por el túnel. Al cabo de un rato, el túnel empezó a descender en espiral, introduciéndose cada vez más dentro de la Tierra. No me gustaba mucho la dirección que tomaba, pero no había manera de regresar y no me quedaba otra opción que ir hasta donde el túnel quisiera llevarme. El ambiente se volvía más denso y más caliente a medida que descendía. ¡Uf! Empezaba a hacer calor de verdad. Me quité la sudadera y la guardé en la mochila.

Empecé a sentir pánico. ¿Y si ese túnel no conducía a ninguna parte? ¿Y si me llevaba al mismo corazón ardiente de la Tierra y acababa frito en él como una loncha de tocino? ¿Y si no podía encontrar la salida de esa sauna subterránea y me veía obligado a vagar por esos oscuros túneles para siempre?

«Tranquilízate –me dije–. Lo peor que puedes hacer es entrar en pánico. Respira hondo. Las cosas podrían ir peor; por lo menos tienes la linterna. ¡Imagínate lo terrible que sería si estuvieras completamente a oscuras!» Y fue justo entonces cuando la luz de la linterna empezó a fallar. La linterna tenía un cargador de cuerda, así que empecé a hacerlo girar pero ¡entonces, la manivela se me quedó en la mano! Oh, vaya, ¿qué iba a hacer ahora?

Agité la linterna y, por un momento, la luz se hizo más intensa pero enseguida volvió a perder intensidad... y se apagó por completo. El túnel había quedado completamente a oscuras. ¡No podía ver nada!

¡Oh no: todo está oscuro!

La primera señal de locura

No puedo decir que me dé miedo la oscuridad. No necesito tener una lámpara encendida en mi dormitorio ni nada parecido (aunque sí me gusta que la luz del pasillo esté encendida, y delante de nuestra casa hay una farola que ilumina la ventana de mi habitación), pero ahora me encontraba en una oscuridad absoluta y eso no me gustaba nada.

Prueba a poner la cabeza debajo de las mantas de la cama cuando todas las luces están apagadas. Está oscuro, ¿verdad? ¡Bueno, pues en el túnel todavía estaba más oscuro!

El túnel estaba completamente a oscuras!

El corazón empezó a latirme con fuerza y me costaba respirar en ese ambiente caliente y opresivo. «¡Que me saquen de aquí!»

–¡Socorro! –grité, y oí el eco de mi voz repetida en el túnel–: ¡Socorro! ¡Socorro!

–¡Basta, Charlie Small! –me dije en voz alta–. ¿Qué eres, un chico o un ratón? Por todos los diablos, tienes cuatrocientos años. Vaya un explorador intrépido estás hecho si no puedes soportar la oscuridad. ¡Contrólate!

Y, para asegurarme de que yo mismo estaba prestando atención a mis palabras, me di una bofetada en la cara.

–¡Au! Eso duele –me quejé.

–Bien –contesté–. Que te sirva de lección; si continúas lloriqueando, te propino otra.

–Vale, lo siento –respondí, mientras inhalaba con fuerza para tranquilizarme–. Me siento mucho mejor ahora. Pero hay otra cosa.

–¿Qué?

–Tienes que dejar de hablar contigo mismo. ¡Si alguien te oye, creerá que estás chiflado!

El zumbido

No sé cuánto tiempo pasé caminando en la oscuridad: ¿un día?, ¿quizá un año? Pero al final me pareció oír un ruido. «Espero que no sean ratas», imploré. Me detuve y aguanté la respiración.

Sí, definitivamente se oía un zumbido muy grave que procedía de más adelante y que se parecía al de un generador eléctrico. Avancé despacio y sin hacer ruido y, al dar la vuelta por una curva del túnel, me di cuenta de que podía ver las paredes. No se veían con mucha claridad, pero sí podía distinguir algunos salientes de la roca.

¡BZZZZZZ!

A medida que avanzaba, el zumbido se oía más alto y la luz se hizo más fuerte y, de repente, justo delante de mí, vi una bola de intensa luz dorada que salía de un agujero de la pared y que iluminaba un buen trecho del túnel.

Pequeños bichitos bulliciosos

Me paré a mirar: unos globitos de luz dorada salieron flotando de un agujero, permanecieron suspendidos en el aire unos momentos y luego se alejaron por el túnel. Al mismo tiempo que estos se alejaban, otros pasaron por su lado en dirección al agujero, se arremolinaron ante la entrada y desaparecieron en su interior.

Casi de inmediato, otro grupo de lucecitas flotantes salieron de la piedra, y entonces comprendí lo que estaba viendo. Eran insectos. Unos extraños insectos luminosos que regresaban a su nido. Yo había oído hablar de las luciérnagas, por supuesto, pero estos eran mucho más grandes. Tenían, más o menos, el tamaño de una pelota de tenis, y unas diminutas colas puntiagudas. Desprendían una brillante luz amarilla... ¡y me dieron una idea!

¡El extraño insecto luminoso!

¡Una linterna voladora!

Me acerqué al agujero y miré en su interior. Había tanta luz que tuve que achicar los ojos, pero cuando me acostumbré al resplandor vi un enjambre de insectos que caminaban por encima de la roca y que hacían agujeros en ella con sus colas puntiagudas.

Metí la mano en la mochila y saqué el tubo de pegamento. Con la navaja multiusos corté dos metros de cordel; luego metí la mano en el agujero rezando para que esos insectos no fueran venenosos. Con cuidado, cerré la mano alrededor de uno de ellos y lo saqué.

–¡Uau!

¡El insecto no me picó, pero vibraba con tanta fuerza que sentía cosquillas incluso en el brazo! Con cuidado, saqué una de sus patitas negras por entre mis dedos y le puse un poquito de cola. Luego acerqué un extremo del cordel sobre la cola, lo sujeté unido a la pata durante unos segundos y luego solté al bichito. El animal voló en el aire atado a un extremo del cordel, y me até el otro extremo alrededor de la muñeca.

¡Mi propia linterna voladora!

¡Genial, funcionaba: ya tenía mi propia linterna voladora! Ahora que ya podía ver adónde iba, salí corriendo por el túnel, decidido a encontrar una salida lo antes posible. El insecto me seguía a un metro, más o menos, por encima de mi cabeza, alumbrándome el camino con su cálida luz amarilla.

¡Un pilar de fuerza!

¡Y vaya si estuve contento de haber encontrado mi insecto luminoso, porque de repente llegué al sitio donde se había hundido el suelo del túnel! Lo único que quedaba eran unas estrechas columnas separadas unos dos metros las unas de las otras, de esta manera:

Si no hubiera tenido nada con qué iluminar mi camino, me hubiera caído entre las columnas y me hubiera estrellado contra las afiladas rocas.

El suelo se había hundido, dejando al descubierto unas estrechas columnas

No podía hacer otra cosa que ir saltando de columna en columna. Di un salto y aterricé en la primera de ellas con los brazos abiertos y moviéndolos como las aspas de un molino de viento para mantener el equilibrio. ¡Uf! ¡Eso iba a ser peliagudo! Resoplando por el esfuerzo, salté una y otra vez. Cada vez que aterrizaba sobre una de las columnas provocaba una cascada de piedrecitas que caían contra las rocas del fondo.

Algunas de las columnas solo tenían unos diez centímetros de ancho, y en una ocasión estuve a punto de caerme. Fue gracias al insecto que llevaba atado a la muñeca que pude recuperar el equilibrio: cuando me iba a caer hacia atrás, el bicho se puso a batir las alas tan deprisa que zumbaban como un motor fueraborda, y consiguió sujetarme hasta que yo pude volver a poner los pies en su sitio. ¡Gracias, bichito!

Un paso muy angosto

Por fin llegué a tierra firme otra vez y pude continuar mi camino. El túnel no se acababa y el techo se hacía cada vez más bajo. Al cabo de poco rato tuve que ponerme a cuatro patas para seguir avanzando. No me pareció nada divertido y me alegré de tener a mi amigo el bichito de compañía.

Empezaba a tener mucha hambre: hacía siglos que no comía nada, pero la única comida que llevaba en la mochila era el trozo de pastel que la abuelita Green me había dado después de que derrotara al malvado Señor de las Marionetas. Eso tenía que ser suficiente, así que lo desenvolví y le di un mordisco.

¡Mmmmm! Estaba delicioso. Y parecía que yo no era el único que lo pensaba, porque el insecto luminoso se precipitó hacia el pastel y empezó a chuparlo con su boca extraña y puntiaguda. ¡De hecho, le gustó tanto que tuve que espantarlo y envolver lo que quedaba del pastel para que no se lo terminara entero!

–Tenemos que dejar un poco para después –dije–. Ahora, vamos a ver adónde nos lleva este pequeño pasaje.

Pronto, el túnel se hizo tan angosto que tuve que avanzar a rastras sobre la barriga. Entonces, de repente, me llegó un leve olor a huevos podridos procedente del otro extremo del pasaje. ¿De dónde provenía? Me estrujé por un estrecho paso entre dos rocas que sobresalían de las paredes y desemboqué en una enorme cueva subterránea.

El insecto luminoso era un completo glotón.

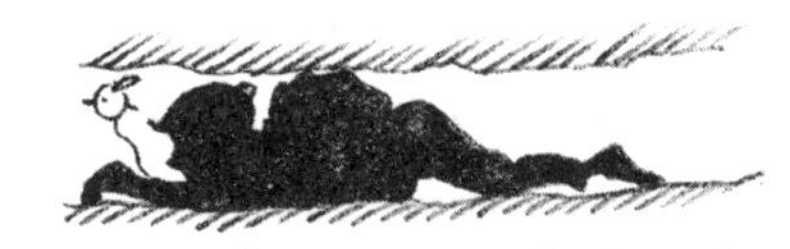

¡Socorro! Tuve miedo de quedarme atrapado en el estrecho túnel.

Túnel.
El foso humeante

Me he puesto a mí en el
dibujo para que se vea
el tamaño de la cueva.

Los fosos

Ante mí, en el suelo, se abría un profundo foso que irradiaba una intensa luz de color rojo. La boca del foso ocupaba casi todo el suelo de la caverna de tal forma que, aunque veía la entrada de un gran túnel en el otro extremo, no podía llegar a él. Tenía el paso cortado.

De vez en cuando se oía un borboteo y unas enormes nubes de vapor se elevaban desde las profundidades del foso y flotaban hasta el techo. El olor a huevos podridos era tan fuerte que me picaba en la nariz y me hacía sentir la garganta seca e irritada. Me acerqué al cráter y vi un furioso río de densa lava que surgía de una enorme grieta en la roca a cientos de metros más abajo. Me dije a mí mismo que tenía que haber una forma de cruzarlo. Miré hacia arriba y vi algo que me dio una idea... pero justo cuando iba a sacar mi lazada, oí un ruido de pasos a mis espaldas. Me di la vuelta de inmediato.

«¡Oh, no!» De pie, en la entrada de otro túnel, estaba el hombre mono.

–*¡Man-cha!* –gritó.

¡Ay! ¡Sacadme de aquí!

¡Una huida estilo Tarzán!

Corrí, arrastrando el insecto luminoso conmigo mientras sacaba el lazo. El hombre mono me seguía pisándome los talones. Entonces hice girar el lazo una, dos y tres veces y lo lancé hacia el techo.

El lazo se quedó enganchado en un saliente de la roca con un golpe sordo y corrí para impulsarme y dar un gran salto. Pasé justo por encima del profundo y burbujeante foso; miré hacia atrás, al hombre mono, que estaba de pie al borde del cráter con una expresión de desconcierto en el rostro, y solté un gritó de triunfo como el de Tarzán.

–¡Aah-aah-aah-aah-aah!

¡Y entonces la roca se rompió y me precipité de cabeza hacia el temible foso!

¡Salir de las ascuas para caer en el fuego!

Mientras caía hacia el mar de lava, el aire era tan caliente que me quemaba. ¡Ay!

¡Entonces, de forma imprevista, me quedé suspendido en el aire!

Sé que debe de parecer imposible, pero es verdad: me quedé suspendido en el aire a mitad de camino. Desde abajo, el estúpido hombre mono no dejaba de mirar hacia mí y hacia el mar de roca líquida que burbujeaba y bullía a mis pies. «¿Qué está pasando?», me pregunté mientras daba manotazos a mi alrededor. Entonces me di cuenta de lo que había sucedido: ¡estaba atrapado en una red!

La red tenía unos hilos tan finos que eran casi invisibles, pero muy fuertes y pegajosos, y cubrían toda la parte superior del foso. ¿Quién habría puesto una red en un sitio así y para qué?

Fue entonces cuando vi una cosa realmente espeluznante: a mis pies, enredada en la red, una calavera humana me miraba sonriéndome con todos sus dientes. ¡Ay, ay! Alguien se había quedado atrapado allí también, y no había podido salir. ¡Qué final tan terrible! Notaba el calor de la lava bajo mis pies y pensé que tenía que salir de allí deprisa si no quería empezar a tostarme como una hamburguesa en la barbacoa. Observé la roca en busca de una forma de escapar. Sí, había una manera de subir: con la ayuda de mi equipo de explorador podría trepar hasta arriba.

¡Uf! Ahí abajo hace mucho calor.

Empecé a avanzar por la malla en dirección a la roca y entonces vi que la red estaba llena de cráneos, huesos de piernas y costillas. ¡Uf! ¡Qué asqueroso! Pero no podía ser que todos esos esqueletos fueran de gente que no hubiera podido escapar. ¿Qué les había sucedido?

Entonces noté que la red empezaba a vibrar. No era yo quien hacía que los hilos palpitaran y temblaran: ¡otra cosa se movía sobre ellos! Miré a mi alrededor y sentí que el corazón me subía hasta la garganta: hacia mí venía el insecto más horroroso, terrible y maligno que nunca hubiera visto, ¡y era demasiado grande para aplastarlo entre las páginas de mi diario!

El ataque del Aracnión ¡SOCORRO!

Era una araña-escorpión gorda, asquerosa, monstruosa y espeluznante, grande como un armario. La red se hundía bajo el peso de esa criatura, que doblaba su mortal cola de tres aguijones por encima de su espalda, como un escorpión. Tenía el cuerpo cubierto por unos pelos de color púrpura que se mecían impulsados por la corriente de aire que subía desde el ardiente foso. Su cola y sus patas eran de un color amarillo sucio y toda ella estaba cubierta por un duro caparazón.

A pesar de que estaba asustado, como explorador me sentía fascinado: estaba seguro de que se trataba de una nueva especie que podría añadir a mi lista e, inmediatamente, la bauticé como Aracnión.

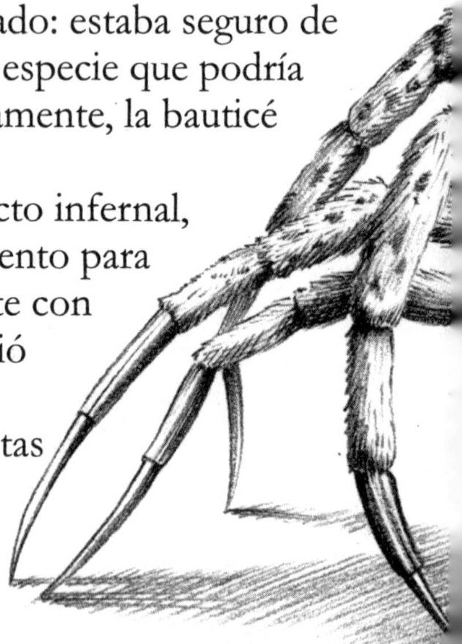

«Oh-oh», pensé. Ese insecto infernal, después de pararse un momento para tantear el abrasador ambiente con sus patas delanteras, se dirigió directamente hacia mí. Al avanzar, sus delgadísimas patas hacían un ruido metálico como el de unos cuchillos, y emitía un siseo como el de un globo pinchado. Un líquido espeso y grumoso le goteaba constantemente de la boca. ¡Era asqueroso!

Empecé a alejarme de espaldas, pero la Aracnión conocía bien el terreno y avanzaba con mayor seguridad que yo. ¿Cómo iba a salir de esta? Mientras la Aracnión se acercaba a mí, metí la mano en mi mochila, saqué el cuchillo de cazador y corté los pegajosos hilos de la tela de araña, que salieron despedidos en todas direcciones con un chasquido. La tela se hundió ante mí y obligó al arácnido a retroceder para no caer por el corte que yo había hecho.

Pero la Aracnión no cejaba en su empeño: decidió atacarme desde otro ángulo. Volví a cortar los hilos de la tela de araña y entonces fui yo el que estuvo a punto de caer por el agujero. Por suerte, pude sujetarme a tiempo y trepar por ella envuelto en el humo sulfúrico que subía del profundo foso. La Aracnión se disponía a atacarme de nuevo y me di cuenta de que, si no hacía algo rápidamente, me encontraría acorralado y, entonces, o bien ese animal me daba alcance o me caería en el burbujeante río del fondo del foso.

Huir

Me sequé el sudor de la frente y empecé a rodear a la Aracnión trepando por los hilos de la tela de araña. No me costaba hacerlo, seguramente a causa del entrenamiento que había llevado a cabo en las jarcias del barco pirata.

Mientras lo hacía, iba cortando los hilos que me separaban del insecto y pronto la tela de araña empezó a ceder. Pero la Aracnión me perseguía, babeando y emitiendo gorjeos, cortando el aire con su mortífera cola, que lanzaba contra mí para atravesarme con sus pinchos grandes como cimitarras. Cuando ya me encontraba muy cerca del otro extremo del cráter, la tela de araña que sostenía a mi atacante empezó a ceder hasta que se rompió por completo. La Aracnión se debatió violentamente para no perder pie pero, al final, cayó emitiendo un agudo chillido.

–¡Sí, te he vencido! –grité, aliviado.

Pero ¡la pesadilla no había terminado todavía! La Aracnión había conseguido sujetarse a un hilo con una de sus patas y ahora trepaba en dirección a mí. Me abalancé hacia delante para cortar el hilo que la sostenía, pero el insecto soltó otro chillido y me escupió una sustancia pegajosa a la cara. Me limpié ese asqueroso líquido del rostro y, cuando aparté el brazo, vi que su enorme cola descendía sobre mí con las mortíferas púas apuntando directamente a mi espalda. Sin ver casi nada, di un corte a la tela y me alejé rápidamente, pero resultó que no había conseguido cortar el hilo por completo.

–¡Weeaark! –chilló el animal, mientras movía las patas en el aire y su cola caía sobre mí una y otra vez.

Por suerte, mi fiel mochila detuvo los golpes. Pero debió de abrirse, porque vi por el rabillo del ojo que mi precioso diente de cocodrilo y mi telescopio caían al humeante foso.

Entonces, con un fuerte chasquido, el hilo se rompió y la Aracnión se precipitó chillando al hirviente magma del fondo: el calor que hacía ahí abajo debía de ser inmenso, porque antes de llegar al río de lava la Aracnión se evaporó en el aire.

Atrapado en el foso

Me alejé gateando del borde cortado de la tela de araña y me senté apoyando la espalda en la caliente pared del foso. El corazón me latía en el pecho con la fuerza de un martillo pilón. Me di cuenta de que empezaba a cocerme, así que decidí que no podía perder el tiempo y que debía salir de ese abismo de sulfuro.

Empecé a trepar siguiendo una ruta que había dibujado mentalmente: lo único que tenía que hacer era llegar hasta un saliente que se encontraba a unos treinta metros por encima de mi cabeza y, desde allí, lanzar el lazo hasta otro saliente para trepar hasta arriba. Pero ese plan tenía un problema. Corrijo. Ese plan tenía dos problemas:

1) No podía trepar por la pared del foso porque estaba cubierta de una sustancia grasienta y pegajosa que, al tocarla, rezumaba una baba viscosa que no me dejaba subir.

2) Aunque llegara hasta la plataforma, no podía utilizar el lazo: ¡me acordé de que lo había perdido! Debía de haberse caído al hirviente foso y se debía de haber quedado carbonizado. ¡Maldita sea! Eso era muy, muy terrible: el lazo era una de las herramientas más importantes de mi equipo de explorador. ¡Tenía que encontrar algo con que reemplazarlo, y pronto!

¡ASÍ QUE ME ENCONTRABA ATRAPADO EN UN BURBUJEANTE CRÁTER, CON UN RÍO DE FUEGO ABAJO Y UN HOMBRE MONO MUY ENOJADO ARRIBA!

Sí, todavía estaba ahí y miraba hacia abajo con su típica expresión de idiota.

–¡*Man-cha!* –gritó, levantando sus peludos brazos por encima de la cabeza.

–¡*Man-cha* para ti! –le grité–. Y ahora, cállate. Estoy intentando pensar.

Volví a sentarme y rebusqué en mi equipo de explorador con la esperanza de encontrar algo que me ayudara a escapar.

¿Y ahora qué?

Mientras pensaba, el bicho luminoso que todavía llevaba atado a la muñeca empezó a zumbar frenéticamente. Pobrecito: me había olvidado de él por completo. Debía de haberlo arrastrado a un lado y a otro como una muñeca de trapo durante mi pelea con la Aracnión. Lo mejor sería dejarlo libre. El brillo de la lava del fondo del foso daba luz suficiente y, si en algún momento conseguía salir del foso y me encontraba de nuevo en la oscuridad, ya me las arreglaría de la mejor forma posible.

Corté el hilo con el cuchillo y el bicho luminoso se alejó con un fuerte zumbido. En cuanto mi amiguito se hubo marchado, volví a intentar escalar la pared. Desesperado, trepé y resbalé y tropecé y trepé, pero resbalaba demasiado. Y justo cuando ya empezaba a pensar que no iba a ninguna parte, volví a caer en la tela de araña.

–¡Maldita sea! –grité, enojado.

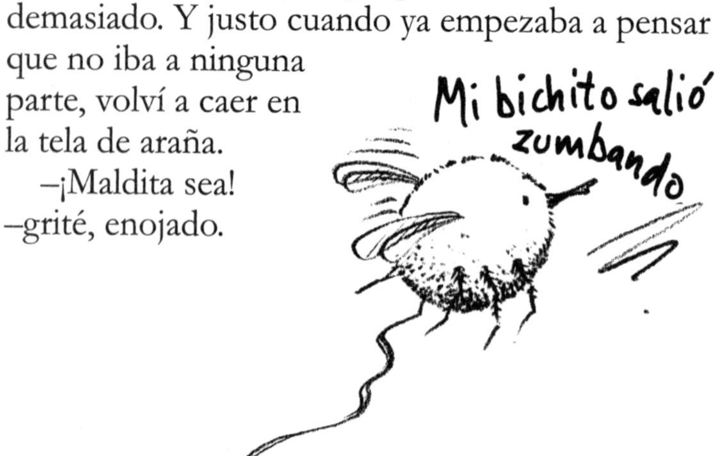

Empezaba a sentir mucho calor: ¡en realidad, mi ropa ya empezaba a echar humo! Miré hacia arriba, hacia el hombre mono.

–¿No puedes tirarme una cuerda o algo, peludo monstruo con manos como jamones?

Pero el hombre mono ya no estaba allí. Ahora me encontraba totalmente solo.

–¡Oh, no! ¿Qué voy a hacer? ¿Cómo voy a...? Un momento, ¿qué es ese zumbido?

Un vuelo iluminado

El zumbido se hacía cada vez más fuerte. En lo alto, por encima del borde del foso, apareció un enjambre de bichos luminosos. El bichito que los dirigía llevaba un hilo colgando de una pata, y me di cuenta de que se trataba de mi amiguito amarillo. Los insectos se arremolinaron por encima de mi cabeza formando una vibrante bola de luz. Mi bichito bajó volando hasta mi muñeca y volvió a elevarse. ¿Por qué lo había hecho?

Entonces vi que lo hacía una y otra vez y lo comprendí. Rápidamente, desenrollé el ovillo de cordel que llevaba en la mochila y corté trozos iguales hasta que tuve tantos trozos como bichitos había. Puse una gotita de pegamento en el extremo de cada uno de los cordeles y los levanté con la mano. De inmediato, uno de los bichitos bajó hasta los cordeles, pegó una de sus patas a uno de los extremos y volvió a subir.

Al poco tiempo, un enorme globo de bichitos luminosos pegados a los cordeles brilló sobre mi cabeza y alzó el vuelo con un fuerte zumbido, izándome en el aire sin el menor esfuerzo. Me sujeté a los cordeles con fuerza, con mucha fuerza: si resbalaba, caería en la lava y me freiría como una salchicha.

–¡Adelante, bichitos, adelante!

En tierra firme, pero en un aprieto

–¡Yuujuuu, yuuupiiiii!

Solté todos los gritos de cowboy que se me ocurrieron. ¡Lo habíamos conseguido! Mis amiguitos los insectos me habían sacado del foso y me acababan de dejar con suavidad ante la entrada del túnel al que intentaba llegar desde el principio. ¿Por qué me habían ayudado? ¿Qué querrían a cambio? ¡Entonces, tan pronto como los hube soltado, supe exactamente qué era lo que querían!

Los bichitos se arracimaban, zumbando, por encima y alrededor de mi mochila, excitados igual que cachorros de perro con un hueso. Era el pastel, el pastel de la abuelita, que yo le había dado a mi bichito para desayunar. Estaban locos por él, y si no hubiera sacado el pastel de la mochila de inmediato, ¡creo que hubieran perforado la lona de la mochila para comérselo!

Mientras ofrecía el pastel a los enloquecidos bichitos, aproveché su luz brillante como el sol para mirar si había algún rastro del hombre mono. Pero en el otro extremo de la boca del foso no había nadie. Probablemente había regresado por el túnel hasta donde se encontraba su tribu. ¡Bien! Una cosa menos de la que preocuparme.

Pero, ¡oh, no! Cuando giré la cabeza otra vez, vi que el enorme y monstruoso hombre mono estaba de pie ante mí. ¡Uy! ¿Cómo había conseguido llegar hasta aquí? Entonces vi la entrada de un túnel lateral. «Fantástico», pensé. Debía de haber un pasaje que rodeaba el foso desde el otro lado, así que yo no hubiera tenido que cruzarlo por la tela de araña. Pero no quería pensar en eso. ¿Qué iba a hacer con esa masa de músculos que se erguía ante mí en esos momentos?

En poder del hombre mono

No podía retroceder a causa del terrible foso, y no podía avanzar a causa del hombre mono. ¡ESTABA ATRAPADO!

Pero entonces, mis amigos los insectos se dirigieron hacia esa criatura enorme y peluda y revolotearon alrededor de su cabeza para distraerlo. El enorme hombre mono trastabilló un poco mientras daba manotazos para quitárselos de encima y dejó libre un espacio entre él y la pared del pasaje, y yo aproveché para correr hacia allí.

Agachándome, pasé al lado de ese Neandertal chiflado y, cuando ya creía que lo había conseguido, sentí que su mano me sujetaba por el cogote. Con el susto, el pastel se me cayó de la mano y los bichitos se abalanzaron sobre él mientras el hombre mono me levantaba del suelo.

Cara a cara, los dos nos miramos a los ojos. El hombre mono esbozó una sonrisa, se lamió los labios y soltó una carcajada rota que sonó como una pisada sobre un lecho de gravilla.

–¡Man-cha! –dijo.

De repente, y para mi sorpresa, ¡volvió a dejarme en el suelo, me cogió la mano con la suya, peluda e inmensa, y me condujo por el túnel, como si yo fuera un niño pequeño y él me llevara de paseo al parque!

De paseo con el hombre mono

Yo no tenía ni idea de qué pasaba, pero no quería estar en las garras de esa bestia inmensa y peluda, así que no dejaba de tirar y de clavar los pies en el suelo para impedir que me llevara con él. Pero no servía de nada: no conseguía liberarme.

¡Suéltame, bobo gigante del Neandertal!

La verdad es que no creo que el hombre mono se diera cuenta de que yo estaba tirando: tenía tanta fuerza que me arrastraba por el pasaje sin hacer ningún esfuerzo. De vez en cuando me miraba y volvía a decir «Man-cha», resoplando como un enorme oso pardo.

Man-cha, man-cha, man-cha: ¿eso era lo único que sabía decir? Y si eso significaba «hombre banana», ¿por qué no estaba yo derritiéndome en los jugos gástricos de su imponente barriga?

¿Es lo mismo Man-cha que Hombre Banana?

Una luz al final del túnel

Al cabo de poco tiempo vi una tenue luz en la distancia. «¡Oh no, otro foso no!», pensé. Entonces torcimos por un recodo del pasaje y una luz blanca me cegó. Achiqué los ojos y me los protegí con la mano que tenía libre.

Era una luz rara: brillante como la luz del sol, pero por algún motivo yo sabía que no se trataba de la luz del sol. Tenía una tonalidad azulada, más parecida a la de la luna que a la del sol, pero era más brillante.

–¡Uau! –grité, asombrado, en cuanto salimos del túnel.

La gran caverna

Todavía estábamos en el interior de la Tierra, pero habíamos salido a una inmensa caverna. Las paredes que quedaban a mis espaldas tenían cientos de metros de altura, y desaparecían en esa intensa luminosidad. Era muy extraño, como si esa luz emanara de la misma roca. Miré la pared de granito que tenía a mi lado y ¡vi que la luz emanaba *exactamente* de ahí!

La pared estaba cubierta por una filigrana de venas de un blanco opalescente que brillaban intensamente. El brillo era más fuerte en las partes en que las venas eran más gruesas. Era fantástico. Miré a mi alrededor, asombrado, y vi que la caverna era colosal.

Las paredes se elevaban y se alejaban en la distancia. A mi izquierda vi las laderas de una enorme cadena montañosa subterránea; por todas partes había unas enormes columnas de un color blanco como la leche; ante mí, a unos cien metros, vi la orilla de un inmenso y tranquilo lago subterráneo que llegaba hasta el horizonte. ¡Era increíble!

El hombre mono me arrastró hacia delante, hacia la orilla del agua, donde un embarcadero de madera destartalado penetraba en el lago. Yo ya había dejado de resistirme, pues no servía

de nada. Esa mole de
músculos me hizo sentar en el
embarcadero y miró hacia las negras
aguas del lago.

–*Man-cha* –gruñó, señalándome.

¿Qué demonios quería decir? ¿Qué quería mostrarme? Repitió el gesto varias veces y, al final, rebuscando entre los peludos y bastos ropajes que llevaba, sacó un paquete y lo depositó a mi lado, en el embarcadero. Entonces me miró a los ojos con expresión de súplica, dio media vuelta, regresó a la entrada del túnel y, sin dirigirme ni una mirada más, desapareció en él.

Un aperitivo ligero

Ahora me sentía completamente confundido. Primero había estado a punto de morir pulverizado por el martillo de piedra de un hombre mono del Neolítico, partido en dos entre sus rodillas peludas y comido; luego, ese bobo me hacía sentar, me ofrecía un paquete y me abandonaba en el viejo embarcadero de un inmenso lago de aguas negras. ¿Qué se suponía que debía hacer ahora?

Pero lo primero era lo primero: tenía que averiguar qué había dentro de ese paquete. Empecé a abrirlo y todavía no había acabado de quitar el manoseado papel cuando supe, por el olor, de qué se trataba. Era comida, y el estómago me empezó a rugir. Estaba hambriento, ya que, aparte del pastel, hacía siglos que no comía nada. ¡Ñam! Era un bocadillo, unas gruesas y crujientes rebanadas de pan untadas con un relleno que olía muy bien.

Pero justo cuando acababa de hincar el diente en el bocadillo, noté una cola gruesa y escamosa que sobresalía por un lado. ¡Puaj! Escupí todo lo que tenía en la boca y separé las dos rebanadas de pan. Dentro, había una rata, una asquerosa rata gorda igual que la que había encontrado en el túnel. ¡Estaba aplastada y estirada, como una especie de paté, pero no cabía duda de que era una rata!

¡Paté de rata: no es posible!

Se me revolvió el estómago y pensé que iba a vomitar, pero entonces volví a percibir el olor. Era un olor bueno de verdad... y yo tenía mucha hambre. Cerré los ojos y abrí la boca para dar otro mordisco...

No hace falta que os diga nada más sobre mi aperitivo: ¡lo único que tenéis que saber es que ya no tengo hambre!

Esperando al barquero

Hace una hora que estoy escribiendo mis últimas aventuras en este diario, procurando anotarlo todo ahora que todavía lo recuerdo. Y creo que ya he terminado. Así que, ¿qué voy a hacer ahora?

Bueno, quizá ya no tenga hambre, pero estoy cansado. De hecho, después de la desesperada lucha con la Aracnión, estoy agotado, así que voy a tumbarme en el embarcadero para descansar un poco. Un momento, ¿qué es esto? He estado todo el rato apoyado contra un cartel de madera. Las letras están medio borradas, pero todavía puedo leer lo que dice:

¿Era esto lo que el hombre mono me estaba diciendo, que tomara el transbordador a Subterránea? ¿Es allí dónde se encuentra Jakeman? Bueno, no tengo otra cosa que hacer, y desde luego no pienso volver atrás, a los túneles, así que puedo quedarme a esperarlo. Todavía no se ve ningún transbordador en estas aguas, así que me enroscaré en el suelo para dormir un poco.

¡Esperando un poco más!

No sé cuánto tiempo he estado durmiendo; es imposible saber cuánto tiempo ha pasado en esta caverna permanentemente iluminada.

Todavía no hay señal del transbordador por ninguna parte.

Sigo esperando...

Ningún transbordador todavía: quizá han interrumpido el servicio. Empiezo a aburrirme.

Más tarde

¡Me estoy aburriendo de verdad!

Estoy cansado
de esperar

¡No te quedes
atrapado en
la tela
de la Aracni

¡Man-
cha!

Uno de los
tramposos y
problemáticos
hombres mono

¿Dónde está
el barquero
del transbordador?

Los hombres mono traen problemas, de verdad!

quiero una pala

¡Me estoy aburriendo

Un relleno de bocadillo nuevo y delicioso

¡Escupitajo reseco de la Aracnión!

¡Rata asquerosa!

¡Veo muchos como este!

Mucho después

¡Ya viene! El barquero del transbordador ya viene: veo un pequeño punto en el horizonte. Ahora ya no tardará.

Mucho, mucho después

¡Vamos, date prisa!

Este lago subterráneo debe de ser enorme, porque hace siglos que ese punto está en el horizonte y no parecía acercarse; pero, por fin, sí parece que se va haciendo un poco más grande. Oigo el chapoteo de los remos del barquero... y ahora está llamando a gritos. Su voz suena extraña en esta inmensa caverna, porque su eco llega desde el otro extremo de las aguas.

–Quien esté esperando al transbordador, que prepare el precio del billete y que haga una fila ordenada –grita con una voz hueca.

¿Hacer una fila ordenada? Yo soy la única persona que está aquí, y por el estado en que se encuentra el embarcadero, ¡parece que soy la única persona que lo ha pisado en siglos!

Ahora, casi sin hacer ningún ruido, el barquero del ferry está acercando la parte chata del barco hacia el embarcadero y ya puedo verlo con claridad. ¡Uau! ¡Qué hombrecillo tan extraño!

¡Uuups! Acabo de darme cuenta de que no creo que tenga dinero suficiente para el billete. ¿Me dejará viajar gratis? Tengo que cruzar estas aguas oscuras y averiguar qué noticias hay de Jakeman.

Ahora tengo que dejar de escribir para ver si consigo que me lleve gratis.

¿Qué sucedió?

Lo siguiente que recuerdo es que me desperté de un sueño profundo y sin pesadillas. Me sentía como si hiciera más de cien años que dormía, igual que esa niña del cuento de hadas.

Al abrir los ojos, contuve una exclamación: estaba tumbado en una cama desconocida de una habitación lúgubre. Un único rayo de luz penetraba por una pequeña ventana y me pareció que, fuera, había algo que se arrastraba. Aterrorizado, me senté en la cama y ¡oooh!, la cabeza me dolía muchísimo. La llevaba envuelta con unas vendas. ¿Qué estaba sucediendo? ¿Dónde me encontraba? ¿Cómo había llegado hasta allí?

¿Dónde estoy?

De repente, el ruido de eso que se arrastraba cesó. Se hizo un silencio completo. Pero pronto volvió a comenzar y me di cuenta de que cada vez se acercaba más. Escudriñé la oscuridad con los ojos muy abiertos, esperando a que algo saliera de entre las sombras.

–¡Ah, qué bien, has decidido despertarte! –oí que decía una voz.

Inesperadamente, una señora apareció ante mí. Tuve que contener una exclamación de susto.

–¿Mamá? –pregunté–. ¿Eres tú? ¿Estoy en casa?

Por un momento pensé que todas mis aventuras no habían sido más que un sueño: debía de haber sufrido un accidente –un golpe en la cabeza– y me lo había imaginado todo. Ahora me había despertado, me encontraba en mi propia cama y todo volvía a estar en su sitio.

–Oh, no, querido –respondió la anciana, riendo–. No soy tu mamá. Bébete esto –me dijo, dejando un vaso encima de la mesilla de noche.

Entonces vi que no se parecía en nada a mi mamá: ¡era una señora bajita y redonda de piel agrisada y arrugada! Pero me recordaba a alguien. ¡Ah, claro, al barquero! Me había olvidado por completo de él.

–¿Dónde estoy? –pregunté, mientras intentaba salir de la cama.

La pequeña señora redonda de piel agrisada.

–Quédate donde estás –me dijo la señora–. Te has dado un fuerte golpe en la cabeza. No sé cómo te lo has hecho, pero te encontré inconsciente en la orilla del mar.

–¡Mi equipo de explorador! –grité–. ¿Dónde está mi mochila?

–No te preocupes, te la he guardado –repuso la señora con amabilidad mientras sacaba mi mochila de debajo de la cama–. También tenías esto en la mano. No sé si es importante para ti...

Se metió la mano en el bolsillo del delantal y sacó un colmillo tan grande que, a su lado, ¡mi diente de cocodrilo parecía el de un cachorro! ¡Era enorme, descomunal! Y, en cuanto lo vi, recordé el viaje terrible, peligroso, alocado y catastrófico que había hecho por el Ancho Mar Subterrestre.

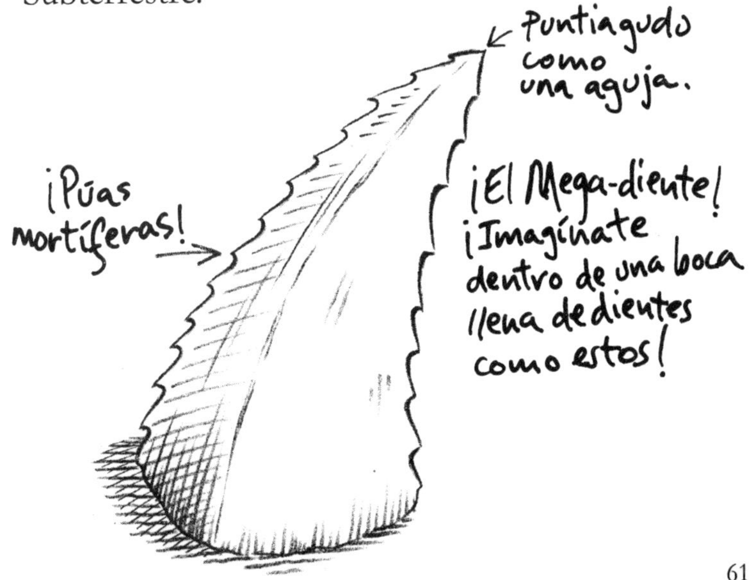

Esto es lo que sucedió

El barquero llegó al pequeño embarcadero y, al verlo, pensé que nunca me había encontrado con un hombre de aspecto tan extraño. Era bajito y escuálido, con una enorme cabeza redonda, una diminuta nariz y una cara muy arrugada. Pero lo más extraño de todo era su piel agrisada como el barro. Este era el aspecto que tenía el barquero:

–¿Vas a Subterránea? –preguntó con una voz que sonaba como una ciénaga borboteante.

–Supongo que sí –respondí, sin saber qué era Subterránea–. ¿Está muy lejos?

–A veinte tulsas –gorjeó el hombre mientras alargaba una mano hacia mí.

–No cuánto vale, sino cuán lejos está –aclaré.

–¡Sí, cuán lejos está! –repuso el hombre de barro–. ¡Veinte tulsas!

Suspiré y me tanteé los bolsillos.

–Creo que no llevo monedas sueltas encima –dije–, pero es muy, muy importante que me vaya de aquí. *Podría ser cuestión de vida o muerte.*

–¡Adiós! –dijo el barquero mientras levantaba su largo remo.

–¡No, espera! Tengo una cosa que quizá sirva.

Cogí la mochila y volqué todo su contenido sobre el embarcadero de madera. El barquero saltó de su bote al instante y empezó a rebuscar entre mis herramientas de explorador. Inmediatamente hizo tres montones distintos.

–Quizá. Porquería. Un gran montón de porquería –dijo, señalando cada uno de los montones–. ¿Qué más tienes? Algo brillante... me gusta brillante.

–Nada –repuse, procurando esconder el diamante del tamaño de una avellana que me había dado el jefe Bien Sentado y que llevaba colgado del cuello.

–Adiós –volvió a decir el barquero.

–¡Espera! –grité.

Ya empezaba a deshacer el nudo del cordel del cual colgaba el precioso diamante cuando algo llamó la atención del barquero. Se abalanzó sobre mi mochila, metió la mano hasta el fondo y sacó uno de los doblones que yo había conseguido salvar de mi viaje a bordo del barco de la capitana Cortagargantas, el *Betty Mae*.

–Tú escondes... tú escondes brillante –dijo en tono de acusación.

–No, de verdad que no –me defendí–. Se debe de haber quedado enganchado en el fondo de la mochila. Quédatelo. ¡Debe de valer cien tulsas!

–¡Un millón de tulsas! –dijo el barquero sonriendo, encantado, mientras pulía el doblón con la manga.

Inmediatamente volvió a subir al bote y me hizo una señal para que subiera mientras volvía a meter el remo en el agua. Tuve el tiempo justo de recoger mis cosas y de correr a toda pastilla por el embarcadero: salté al bote justo en el momento en que este empezaba a alejarse por el lago de aguas negras.

A través de las aguas

El barquero impulsaba el bote sobre la superficie del agua con largos y lentos golpes de remo. Permanecía de pie y en silencio en la parte trasera, observando el horizonte. Intenté hablar con él –había muchas preguntas que quería hacerle– pero el hombrecillo fangoso me ignoraba, así que al final desistí.

Navegamos durante horas. El fuerte silencio sólo se interrumpía por el chapoteo del remo en el agua. Empezó a formarse una bruma a nuestro alrededor, y al cabo de poco tiempo el aire se hizo denso y blanco como la leche. Era imposible que el barquero viera adónde íbamos, pero él continuaba remando confiadamente, dejándose llevar por su instinto y su experiencia.

De repente, una enorme figura oscura emergió de la niebla que nos rodeaba. El barquero hundió el remo en el agua e impulsó el bote para pasar al lado de ese misterioso objeto. Pronto, una ligera brisa disipó la bruma y vi qué era lo que había estado a punto de atropellarnos. Se trataba de un galeón, o más bien del casco podrido de un galeón: estaba lleno de agujeros y se veía su estructura de baos y cuadernas; las velas colgaban de las vergas hechas jirones.

–¡Uau! –grité.

–¿Qué? –preguntó el barquero.

–¡Detente! –pedí–. Por favor, solo un minuto.

Acababa de ver una cosa que me había helado la sangre.

¡Mi antigua casa!

En la proa del barco, sobre una tabla de madera tallada, figuraba el nombre, *Betty Mae*. Era el galeón pirata de la capitana Cortagargantas, el barco en el cual yo había vivido durante mucho tiempo, el barco donde había hecho tan buenos amigos y enemigos tan terribles. Pero ¿por qué se encontraba en ese estado tan lamentable y cómo había ido a parar a miles de metros bajo tierra?

Mientras el barquero mantenía quieta la barca, yo di un gran salto y me sujeté a una de las cuadernas del casco del *Betty Mae*. Trepé deprisa y en silencio hasta la cubierta principal. No había nadie.

–Espera ahí –le grité al barquero–. No tardaré.

Bajé los escalones hasta el camarote del capitán. Allí tampoco había nadie, pero los mapas del barco, el arcón de la ropa de Cortagargantas y su colección de dientes de ballena tallados estaban en el mismo sitio de siempre. Era muy extraño: me sentía como en un escenario en el que no hubiera ningún actor. Me parecía que Cortagargantas o Rawcliffe Annie iban a bajar por las escaleras en cualquier momento, maldiciendo, vociferando y pidiendo ron. Pero sabía que hacía mucho tiempo que nadie había pisado ese barco.

¿Qué podía haber sucedido para que ese valiente grupo de mujeres delincuentes abandonaran su querida casa? Quizá Craik, ese maldito sabueso cazador de piratas, las había hecho prisioneras después de que yo me escapara. O quizá se habían unido con sus esposos piratas a bordo del *Cráneo Sarraceno*.

(Ver mi diario El Galeón pirata)

Seguramente nunca lo sabría, pero me pareció que era una situación muy triste... y muy, muy escalofriante: quería salir de allí enseguida.

El Betty Mae parecía un barco fantasma

Pero lo primero era lo primero: «Quien ha sido pirata una sola vez, siempre es pirata», me dije a mí mismo, y abrí la tapa del arcón del tesoro del *Betty Mae*, que estaba en un rincón del camarote de la capitana. Maldición: estaba vacío. No, un momento... metí la mano hasta el fondo y saqué una pequeña bolsa de tintineantes monedas de oro. ¡Eso podía ser útil en algún momento!

De hecho, fue útil enseguida, porque cuando regresé a cubierta y miré hacia abajo, donde había dejado al barquero, ¡vi que no había nadie! Escudriñé la niebla, pero no conseguí ver nada. Me había abandonado. ¡Vaya un villano traidor!

–¡Eh! –grité–. ¡Vuelve!

Nada. Volví a intentarlo, pero tampoco obtuve respuesta. ¡Socorro!

–¡Tengo un montón de cositas brillantes aquí! –grité con todas mis fuerzas, esperando que si el barquero me oía, eso lo tentara a regresar–. Lo compartiré a medias contigo.

Estaba en lo cierto: casi de inmediato oí una débil voz que me llegaba de lejos.

–¡Ya voy!

Al cabo de unos minutos, el barquero apareció entre la niebla.

–Lo siento, joven señor –se disculpó–. El bote debe de haberse alejado a la deriva, con la corriente.

–Ya, claro –contesté, mirando las tranquilas aguas–. Por supuesto que sí.

En ese mismo instante supe que ese extraño hombrecillo no era de fiar. Volví a subir al bote y todavía no me había sentado cuando el ansioso barquero ya me estaba quitando la bolsa de oro de las manos.

–Apártate –le advertí–. Te daré tu parte cuando lleguemos a tierra.

Pero ¡al final resultó que ninguno de los dos estaba destinado a quedarse con su parte del botín!

Hacia Subterránea

Ahora que sabía que podía disponer de más «brillantes», el barquero empezó a mostrarse más amigable. Había llegado el momento de intentar obtener respuestas a las preguntas que me habían estado inquietando.

–Ahí dentro, en el laberinto de túneles, me persiguieron unos hombres mono. ¿Sabes quiénes son? –pregunté.

–¿Hombres mono? –preguntó el barquero sin dejar de remar.

–Unos enormes brutos con unos brazos largos y musculosos –expliqué.

–Trogloditas –dijo el barquero–. Trogloditas de Barbaria.

–¿Son malos? –pregunté.

El barquero se encogió de hombros.

–Algunos buenos, otros malos.

–Y no dejaban de gritar *«Man-cha»*. Creo que significa «hombre comida»; creo que querían comerme.

–Quizá –dijo el barquero–. *«Man-cha»* significa «te mato». Significa «mi amigo» y «hola» y «ayúdame». Es la única palabra de los trogs. Significa una cosa u otra según *cómo* la dicen.

Yo tenía razón. *«Man-cha»* era la única palabra que los trogloditas usaban. Entonces, ¿habían querido comerme o ayudarme? Ya no estaba seguro, quizá debería haberme quedado con ellos... quizá no eran monstruos comedores de hombres. Pero ahora ya era muy tarde para preocuparse por eso, porque ya estábamos de camino hacia un lugar llamado Subterránea.

–¿Dónde está Subterránea? –pregunté.

El barquero chasqueó la lengua, molesto por mis interminables preguntas. Introdujo la mano bajo un tablón que servía de asiento y que estaba en la parte trasera del bote y sacó un montón de papeles. Me dio el papel que estaba encima de todos. Era un mapa...

Huertos
Subterránea
Puerto
Ancho
Mar
Subterrestre
Barbaria
Sin Escala.

La Gran Caverna
El Laberinto de túneles
El Foso
Cadena Montañosa Subterránea

... un mapa fantástico en el que se veían algunos de los túneles por los que había pasado; se veían las aguas por las que me encontraba navegando justo en ese momento, que no eran las de un lago, sino las de un auténtico océano subterráneo; se veía una isla llamada Barbaria, de donde procedían los hombres mono, los trogloditas; y se veía, en la otra costa del vasto océano, una gran ciudad llamada Subterránea.

El corazón me dio un vuelco de la excitación. Ahí era adónde nos dirigíamos. ¿Encontraría a Jakeman allí? ¿Sus habitantes serían amistosos u hostiles? ¿Sería...? ¡Uau! ¿Qué ha sido eso? Oí que el barquero se quejaba al tiempo que una enorme sombra triangular pasaba por encima de nosotros. Señaló hacia mi espalda, pero cuando giré la cabeza no vi nada, solamente unas leves ondas rizadas sobre la tranquila superficie del frío océano.

¡El Megatiburón!

–¿Qué ha sido eso? –pregunté, presa del pánico.

El barquero no contestó, pero por su expresión me di cuenta de que, fuera lo que fuera, no era nada bueno.

El mar continuaba inmóvil como un espejo, pero pronto empecé a notar algo alarmante en él: todo se veía negro, quieto y amenazador. El barquero continuaba hundiendo el remo en el agua para impulsar la barca hacia delante, pero no dejaba de mirar a un lado y a otro con expresión asustada.

Entonces, de repente, a nuestra izquierda, el mar se abrió por una fisura de brillantes burbujas plateadas y una forma plana salió a la superficie.

–¡Oh, socorro! ¡Salvad al pobre barquero! –gritó mi compañero, petrificado.

–¿Qué es eso? –volví a preguntar.

Esa cosa se fue haciendo cada vez más grande, curvada hacia atrás como una enorme guadaña, hasta que alcanzó el tamaño de una vela de yate. No necesité preguntar de nuevo qué era: sabía que se trataba de la aleta dorsal de un tiburón, de un tiburón tan grande que podría haberse tragado a mi antiguo enemigo, el cocodrilo de río, entero. ¡Y esa enorme aleta con forma de vela se dirigía en línea recta hacia nosotros!

Partido por la mitad

¡CRASH! La aleta chocó contra nuestro bote y lo cortó justo por la mitad como lo haría una sierra circular. El barquero y yo nos quedamos dando vueltas vertiginosamente en medio del océano, agarrados con fuerza cada uno a su parte del bote.

Empezamos a hundirnos y noté que el agua helada ya me llegaba a los tobillos. Intenté achicar el agua con las manos, pero no sirvió de nada: el bote desapareció bajo mis pies y se hundió en las oscuras profundidades del océano. Luché para mantenerme a flote dando brazadas como un perrito, intentando resistir el peso de la mochila que me arrastraba hacia abajo. Por suerte, pude sujetarme a un ancho tablón del bote que se había roto y había quedado flotando en la superficie.

¡Socorro! ¡Un tiburón!

Miré hacia donde estaba el barquero. El hombre, helado de miedo, se había encogido en su trozo de bote, que todavía se mantenía a flote aunque ya empezaba a sumergirse.

No había ni rastro del tiburón, así que empecé a mover los pies en el agua para ir en su ayuda. Pero no tuve tiempo: de repente, la superficie del agua estalló en una erupción de espuma y el enorme Megatiburón saltó en el aire dibujando un amplio arco. Por unos segundos pareció que el animal quedaba suspendido en el aire, y el

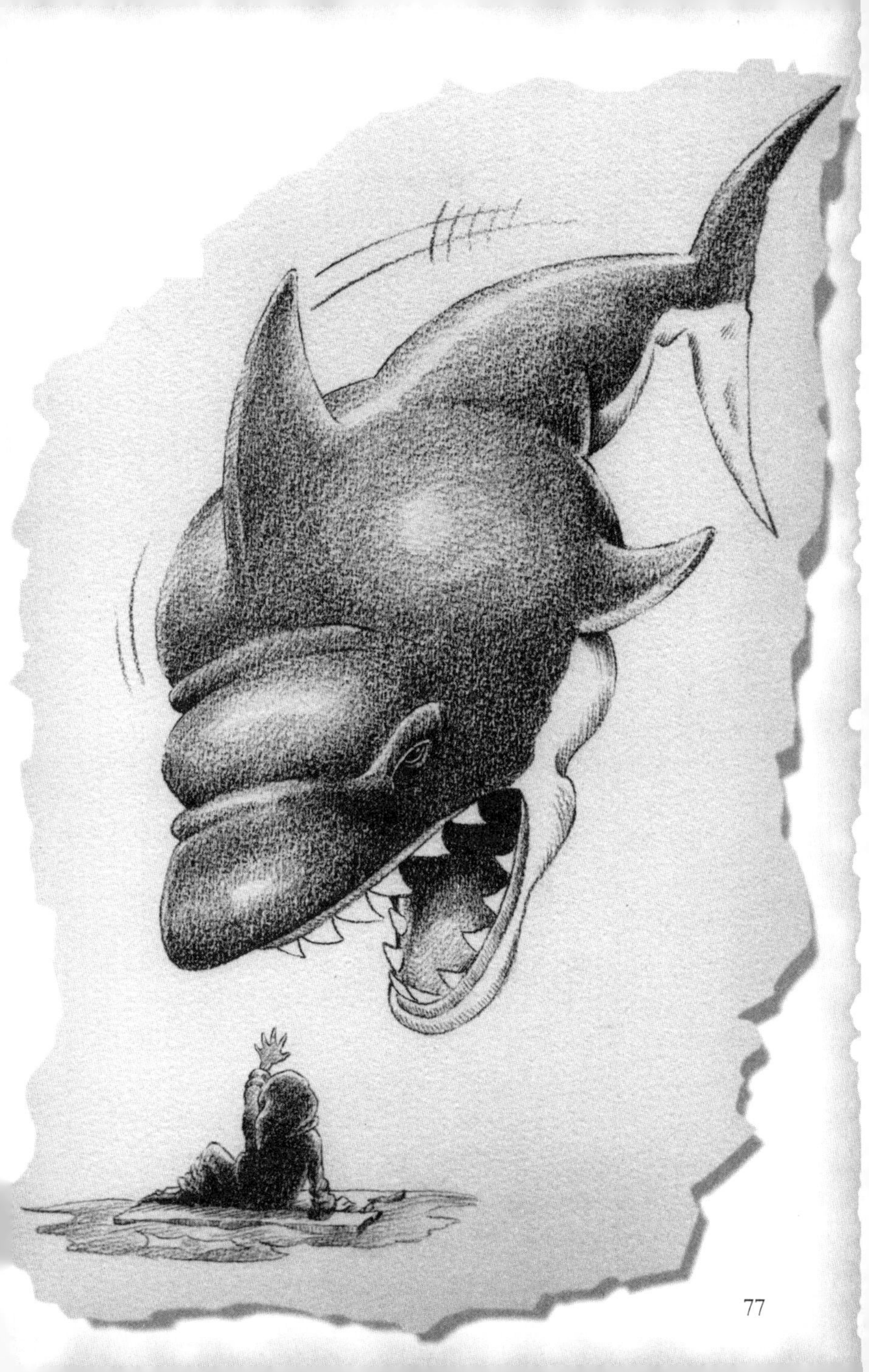

barquero y yo lo observamos, aterrorizados. Era enorme; ¡tan grande como una casa! Entonces inició el descenso con la enorme boca abierta, mostrando hileras y más hileras de unos incisivos impresionantes.

El barquero levantó los brazos, pero no tuvo tiempo ni de soltar un grito. Desapareció en las fauces abiertas del Megatiburón al tiempo que el animal, levantando una gran ola, se sumergía de nuevo en el mar. Paralizado por el terror, noté que la fuerza del agua me levantaba.

Me sujeté desesperadamente al tablón de madera mientras la ola se hacía más y más grande. Y entonces, al mirar atrás, vi la enorme aleta que acuchillaba el agua dirigiéndose hacia mí.

–¡Aaaah! –grité.

En este momento, justo cuando me encontraba sobre la inmensa ola, tuve una idea. Me monté encima del tablero, bocabajo y, de un salto, me puse primero a cuatro patas y, luego, me levanté con los brazos abiertos para mantener el equilibrio. ¡Estaba haciendo surf! Nunca lo había hecho hasta ese momento, y seguro que había una forma mejor de aprender, pero ¡estaba consiguiendo mantenerme en pie!

Cambiando el peso del cuerpo de una pierna a otra, hice girar mi tabla de surf para navegar siguiendo la cresta de la ola. Miré hacia abajo y me di cuenta de lo grande que se había hecho la ola: me encontraba a treinta metros por encima de la superficie del océano y me deslizaba a unos cien kilómetros por hora.

Miré hacia atrás, esforzándome por mantener el equilibrio, y vi que el Megatiburón seguía allí pero no me daba alcance. Entonces volví a inclinarme e hice virar la tabla ciento ochenta grados. El tiburón tardó en reaccionar y continuó avanzando en la misma dirección, así que eso me daba un respiro para poder concentrarme en hacer surf. ¡Lo necesitaba!

La ola empezaba a romper y mi velocidad aumentaba. Navegaba tan deprisa que empezaba a costarme respirar. De repente, la cresta de la ola se levantó formando un arco por encima de mi cabeza y me encontré deslizándome por un túnel de agua plateada. El rugido de la ola llenaba mis oídos. Empezaba a pasármelo bien, pero la diversión no duró mucho: por el rabillo del ojo vi la silueta del Megatiburón que me seguía por dentro de la ola. ¡Me había vuelto a alcanzar!

De repente, la enorme cabeza del tiburón emergió de la pared de agua y sus fauces se cerraron tan cerca de mí que sentí su fuerza como un golpe en la nuca. Hice girar la tabla otra vez, pero el tiburón ya conocía mi truco y viró al mismo tiempo que yo. *¡Oh, socorro! ¿Qué iba a hacer ahora?*

El Megatiburón se lanzó hacia mí otra vez y

pegó una potente dentellada a la parte posterior de mi tabla, que se rompió en mil pedazos. Caí al agua y me hundí entre unos altos y puntiagudos salientes de roca. El tiburón me pisaba los talones. Entonces volvió a abrir la boca y... ¡uf!: el ansia por atraparme hizo que el tiburón no mirara por dónde iba, así que, de repente, y con un chasquido tan fuerte que pude oírlo a pesar del rugido del mar, quedó ensartado en una de las mortíferas y puntiagudas rocas.

Sentí un alivio enorme. Empujado por el agua, me hice un ovillo y dejé que las olas me llevaran entre esos enormes cuchillos de granito, rezando para no acabar yo también ensartado en uno de ellos como un pinchito. Al cabo de poco me vi arrastrado sobre un banco de arena, en una zona de menor profundidad, y las furiosas olas rompían contra el suelo revolcándome y sacudiéndome como si me encontrara dentro del tambor de una lavadora. Entonces todo se me hizo oscuro.

Otra vez en la cama

La amable señora que me encontró en la orilla, magullado y contusionado, y que me llevó a su casa para cuidarme se llamaba Ma Baldwin.

–¿Cuánto hace que estoy en la cama? –le pregunté.

–Una semana –respondió Ma–. Te vi tan magullado que creí que estabas perdido. Pero una buena cama caliente y los viejos emplastos de Ma Baldwin han hecho su trabajo. Y aquí estás, sano y salvo. Pero no sé por qué tu piel tiene ese extraño color rosado –añadió–. Parece que no consigo devolverte un sano tono de barro a la piel.

–Yo soy de este color –expliqué–. No soy de por aquí, vengo de ahí arriba –dije, señalando hacia el techo.

–¿Ahí arriba? ¿Dónde, ahí arriba? –preguntó Ma Baldwin.

–De arriba de todo, encima de las rocas.

–¿Quieres decir que encima de las rocas vive gente? –exclamó–. No me lo creo. ¡Eso es solo un cuento de viejas!

–Es verdad, Ma –dijo alguien desde las sombras, sobresaltándome–. Y lo que es más: hay otro de ellos por aquí.

–Oh, Tom, me has asustado –dijo Ma–. Ven

a saludar a Charlie Small. Este es mi hijo Tom, Charlie.

Un chico delgado salió de la oscuridad. Debía de tener mi misma edad (es decir, ocho años, ¡no cuatrocientos!), y si su madre tenía un color de piel fangoso, ¡Tom parecía estar hecho de barro! De los pies a la cabeza, su piel tenía un sucio color marrón agrisado y sus brazos y su ropa parecían revestidos de una gruesa capa de cieno.

–Así que has decidido despertarte, por fin –dijo Tom, sonriendo.

Me cayó bien de inmediato.

–Tom acaba de llegar de las llanuras fangosas –explicó Ma–. Bueno, lávate las manos y ven a tomar el té, Tom. Puedes charlar con Charlie mientras comes.

Noticias emocionantes

Tom puso las manos bajo el grifo. Unos enormes chorretones de barro se le desprendieron de la piel y desaparecieron por el desagüe del fregadero dejando al descubierto su piel agrisada. Luego se sentó ante una basta mesa de madera. Su mamá le dio una bandeja de pan y un extraño y grumoso pudin de un color blanco sucio que el chico atacó con deleite.

–¿Qué has estado haciendo en las llanuras fangosas, Tom? –le pregunté–. ¡Parece que te has divertido muchísimo!

–Ahí abajo no hay nada con qué divertirse, Charlie –dijo él–. Soy un hurgador del barro, un carroñero.

–¿Y qué hace un carroñero en su terreno? –pregunté.

–Rebusco en las llanuras fangosas, abajo, en el muelle, para encontrar restos de comida arrastrados por las alcantarillas y esparcidos por la orilla –explicó Tom mientras clavaba el tenedor en la pastosa comida del plato.

¡El pudin grumoso y chungo de Tom!

–¿Estás diciendo que encontraste esto en el barro? –exclamé–. ¿Y te lo comes?

–¿Qué pasa? –repuso Tom–. Todos los chicos somos carroñeros. Es la única manera de sobrevivir.

–¿Y nunca tienes diarrea?

–No, si lo hierves completamente dos veces –intervino Ma.

–¿Por qué tienes que ser carroñero? –pregunté, impresionado ante la idea de que ese chico tan simpático y su mamá tuvieran que sobrevivir de los desechos.

–¿Que por qué? Oh, esa es otra historia –dijo Tom–. Una historia para otro día, quizá.

Decidí cambiar el tema de la conversación.

–Bueno, ¿a qué te referías al decir que hay otra persona como yo aquí abajo? –pregunté, deseando tener noticias de Jakeman. O quizá se trataba de alguna de mis compañeras piratas del *Betty Mae*.

–Mi compañera Eliza dijo que hace un par de semanas vio que se llevaban al castillo a un desconocido de piel rosada –dijo Tom.

–¡Un castillo! –exclamé, emocionado–. ¿Qué sucede en ese castillo?

–Es donde vive el rey, por supuesto –contestó el chico.

–¡Ja! ¡Vaya un rey! –rezongó Ma para sí misma.

–¿Sabes quién es ese extranjero de piel rosada o qué está haciendo aquí? –pregunté.

–¿Por qué lo quieres saber? –se extrañó Tom, repentinamente suspicaz.

–Estoy buscando a un amigo mío. Es el único que me puede ayudar a regresar a casa.

Tom me miró a los ojos un momento y luego dijo:

–Mira, Charlie, aquí pasan cosas, cosas malas, y es difícil saber en quién se puede confiar. Quizá pueda ayudarte cuando te conozca mejor. De todas formas, tienes cara de necesitar una siesta. Ya charlaremos cuando te sientas con ánimos.

¡Oh, vaya! Me recosté sobre el colchón y di un golpe en la cama con los puños, suspirando por la frustración. Pero Tom tenía razón: empezaba a estar cansado otra vez, y totalmente grogui.

–No seas duro con el chico –oí que decía Ma justo antes de quedarme dormido–. Él no sabe lo que está sucediendo...

Me siento mejor

Continué un poco grogui durante los dos días siguientes, pero Tom y Ma me cuidaron muy bien.

Su casa es impresionante. Está cavada en la roca viva, y es cálida y agradable. Tiene una única habitación con tres pisos: Tom duerme en el piso de arriba, Ma en el de en medio y mi cama se encuentra en la cocina, abajo, donde el fuego está encendido todo el día. Mi cama está rodeada de estantes llenos de potes, sartenes y utensilios de cocina. A pesar de que fuera siempre hay luz, tanto de día como de noche, Ma tiene las lámparas encendidas todo el tiempo y su luz cálida y dorada hace que la casa sea muy acogedora.

Lo peor de todo, aparte de no poder moverme de la cama y de estar lleno de magulladuras, es la comida... ¡es asquerosa! Ma se disculpa mucho, pero no es culpa suya: ella solo puede cocinar lo que Tom encuentra en las llanuras fangosas, y para ellos es tan difícil de tragar como para mí. El bocadillo de rata peluda que me comí es un banquete comparado con las rancias papillas con que tienen que sobrevivir estos subterráneos.

¡Puaj! ¡Esto es peor que la comida de la escuela!

Por lo menos he tenido tiempo de poner mi diario al día y de mirar mi colección de cromos de animales salvajes. Y, quién lo iba a decir, encontré un cromo del monstruoso Megatiburón. Esto es lo que dice:

¡No podía estar más de acuerdo!

También intenté llamar por teléfono a casa, pero, maldita sea, ¡estábamos a tanta profundidad bajo tierra que no obtuve señal! A pesar de que parece que mi madre se ha quedado atrapada en un bucle del tiempo, y de que nunca escucha lo que le digo, me gusta oír su voz.

Tendré que volver a intentarlo cuando escape de este Mundo Subterráneo, ¡sea cuándo sea!

Voy conociendo a Tom

Durante la semana siguiente me hice muy buen amigo de Tom y de Ma. Cada noche, después de regresar de las llanuras fangosas, Tom se sentaba a los pies de mi cama y los dos charlábamos y bromeábamos. Era un chico muy divertido y siempre me animaba mientras me iba recuperando de mis magulladuras. Pero no volvió a decir nada más del castillo ni de «las cosas malas» que pasaban en Subterránea.

Pero ¡yo hablaba por los descosidos! Les conté con todo detalle cómo había ido a parar al Mundo Subterráneo, mis batallas con la Aracnión y Megatiburón, además de mi huida de los trogloditas, y los dos escucharon mis locas aventuras con los ojos muy abiertos.

–No sé por qué los trogs te

perseguían –dijo Tom–. Casi todos son muy amistosos; mi amiga Eliza es amiga de algunos de ellos. Ella va a... –pero de repente se calló, quizá porque pensaba que había estado hablando demasiado.

Me parece que Tom todavía me estaba analizando, todavía no sabía si podía confiar en mí. Pero no me importaba. Tom me caía bien, y yo sabía que algo muy malo tenía que haber pasado para que él se mostrara tan desconfiado. Tom necesitaba asegurarse de que yo era un buen amigo antes de contarme qué eran esas «cosas malas». Pero ¿a qué cosas malas se refería?

¿Los Trogs son amigos o enemigos?

¡Demonios! ¡No iba a tardar mucho en descubrirlo!

Tom se salva por los pelos

Una noche, mientras estaba sentado al lado del fuego, Ma empezó a ponerse muy nerviosa. Tom se retrasaba más de lo habitual y cada cinco minutos Ma miraba con ansiedad por la ventana de la cocina.

–No te preocupes, Ma –le dije–. No le habrá pasado nada malo.

–No lo comprendes, querido –repuso ella–. A estas horas ya debería haber llegado a casa.

Justo en ese momento oímos un ruido en el patio. La puerta trasera se abrió y Tom entró en casa, pálido y asustado.

–¿Qué ha pasado, Tom? –preguntó Ma, inquieta–. ¿Y dónde está tu abrigo?

–¡Buuuf! Por los pelos –dijo Tom–. He estado a punto de que un retuercepescuezos me pillara.

–¿Qué demonios es un retuercepescuezos? –pregunté.

–Ya sabes –repuso Tom–, un cazador, un supuesto guardián de la ley que te agarra por el pescuezo y te lo retuerce y te sacude como si fueras un saco de huesos.

–¿Un policía?

–Puedes llamarlo como quieras, pero será mejor que no te dejes atrapar por uno de ellos; especialmente en las llanuras, o después del toque de queda.

–Siéntate y te prepararé una buena taza de té mientras nos cuentas qué ha pasado exactamente –dijo Ma.

Pero Tom no se podía sentar. Estaba demasiado nervioso.

–Iba de regreso a casa desde las llanuras fangosas –dijo, con los ojos brillantes de miedo y excitación–. Había perdido la noción del tiempo y no sabía que ya eran más de las nueve de la noche. No se permite que nadie esté fuera de casa después de las nueve –me explicó–. Bueno, pues iba por los callejones cuando una mano salió de entre las sombras y me agarró por el cuello... ¡era el retuercepescuezos! «¡Ya te tengo, diablillo!», dijo él, y me levantó del suelo y me dio la vuelta para mirarme a la cara. «¡Vaya, eres un sucio mocoso! Has estado ahí abajo, en las llanuras fangosas, ¿verdad?» «¿Qué pasa si he estado ahí?», grité, ¡y le di una fuerte patada en la espinilla! ¡Tendríais que haberlo oído gritar! Pero no me soltó. «Voy a echarte un buen vistazo», dijo, saltando sobre una pierna. ¡Ya estaba a punto de limpiarme la cara con su pañuelo cuando me escurrí del abrigo, caí al suelo y vine corriendo hasta aquí! «Vuelve, alimaña –gritó–. ¡Te voy a sacar las entrañas!»

–No te habrá seguido hasta aquí, ¿verdad? –preguntó Ma, intranquila, mientras le ofrecía una taza de té espeso y un pedazo de pastel de piedra... ¡hecho de verdad de piedras pulverizadas!

–Imposible –respondió Tom, muy seguro.

Pero ¡justo entonces oímos unos fuertes golpes en la puerta!

–¡El retuercepescuezos! –dijo Ma–. Tom... al escondite, ¡deprisa!

Un buen jaleo en casa

–¡Que viene! –gritó Ma mientras Tom apartaba rápidamente la alfombra de la cocina.

Para mi sorpresa, vi que metía los dedos en una estrecha rendija entre los tablones y levantaba una portezuela desde la cual unos escalones bajaban y desaparecían en la oscuridad.

–Date prisa, Tom –lo apremió Ma: los golpes en la puerta eran cada vez más fuertes–. Tú también, Charlie. No debe encontrarte aquí.

Bajé los escalones detrás de Tom. Ma cerró la portezuela y volvió a colocar la alfombra en su sitio. Oímos sus pasos hasta la puerta de entrada, el ruido de los cerrojos al descorrerse y el crujido de la puerta al abrirse. Luego, el fuerte ruido de unos pesados pies en la cocina. Encontré una rendija entre los tablones y miré por ella. Entonces vi a un retuercepescuezos por primera vez: ¡era terrorífico!

Comprendí por qué Ma y Tom le tenían tanto miedo. Su uniforme, desde el emplumado sombrero de la cabeza hasta las brillantes botas negras, delataba lo que era: ¡un matón!

–¿Dónde está? –preguntó el retuercepescuezos.

–¿Dónde está quién? –preguntó Ma con expresión inocente.

–He visto a un chico entrar aquí. Un chico que venía de las llanuras fangosas pasado el toque de queda.

–No sé a quién se refiere –repuso Ma.

El
retuercepescuezos

–Entonces no le importará que eche un vistazo por aquí, ¿verdad?

–Como quiera, pero no encontrará nada –contestó Ma.

El retuercepescuezos busca a Tom

El retuercepescuezos recorrió toda la cocina abriendo armarios y tirando al suelo todo lo que encontraba dentro.

–Si lo encuentro, lo llevaré directamente a las minas para que trabaje de verdad –rugió ese detestable patán.

Registró la despensa, sacando cajas vacías y cajas de los estantes sin dejar de rezongar para sí en todo el rato. Sus pesadas botas rascaban y pisoteaban el suelo justo a pocos centímetros de nuestras cabezas.

–No hagas ruido me susurró Tom– o nos encontraremos en un serio problema.

Yo no necesitaba que me lo dijera. No me atrevía a pensar lo que sucedería si ese cretino nos descubría.

Al ver que no encontraba nada en la cocina, el retuercepescuezos subió arriba y volvimos a oír golpes y el ruido de cosas rotas mientras registraba los dormitorios.

–¿Quién duerme en la habitación de arriba? –preguntó mientras bajaba la escalera en estampida.

–Mi hijo –le dijo Ma.

–¿Y por qué no está ahora en casa? Ya sabe que es ilegal estar fuera después de las nueve de la noche.

–Está en casa de un amigo –repuso Ma–. Eso no es ilegal, ¿verdad?

El retuercepescuezos gruñó:

–Estoy seguro de que lo he visto entrar aquí.

–Bueno, pues se ha equivocado, ¿no es así? –replicó Ma–. Y ahora, si ya ha terminado, me gustaría ir a dormir.

–¿Quién duerme aquí? –preguntó el hombre señalando mi montón de sábanas del sofá.

–Oh, esto... yo he estado durmiendo aquí –respondió Ma, perspicaz–. Hace frío y he pasado las últimas noches delante del fuego. ¿Satisfecho?

–La verdad es que no –repuso él, dirigiéndose a la puerta–. No he podido encontrar nada, pero sé que se trae algo entre manos. No le voy a quitar el ojo de encima, así que tenga cuidado.

¡No le voy a quitar el ojo de encima!

Después de decir eso, salió a la calle dando un portazo.

–No hay moros en la costa –dijo Ma después de unos minutos.

Levantó la trampilla y Tom y yo subimos hasta la cocina.

–¡Uau! ¡Qué divertido! –dijo Tom, riendo a carcajadas–. Bien hecho, Charlie. ¡Sabía que podía confiar en ti! Mañana traeré a un amigo mío para que te conozca. Te contaremos todo lo que ha estado pasando en Subterránea y veremos si podemos dar con un plan para encontrar a tu amigo.

¡Genial! Eso me gustaba; quizá no pasaría mucho tiempo hasta que encontrara a Jakeman y pudiera continuar mi viaje.

Eliza

Tom cumplió su palabra, y al día siguiente llegó a casa con una niña de unos siete años de edad. Era una niña bajita y delgada, vestida con unos harapos llenos de barro.

Era evidente que también era una hurgadora del barro. Llevaba en la mano un saquito con todas las cosas que había recogido en las llanuras fangosas. El saquito estaba mojado y rezumaba un cieno líquido que le manchaba el harapiento vestido. Su piel era del mismo color gris, y su cabeza era igual de grande que la de todos los subterráneos. Tenía una boca pequeña de gesto decidido y unos ojos grandes y brillantes.

–Este es Charlie Small, el chico de quien te he hablado –dijo Tom–. Charlie, esta es mi mejor amiga y compañera de trabajo, Eliza.

–Encantado de conocerte, Eliza –dije.

–Igualmente, estoy segura –repuso Eliza, mirando con curiosidad mi rostro rosado.

–Ella es quien vio que llevaban al extranjero al castillo –explicó Tom.

El corazón me dio un vuelco.

–¿Pudiste verlo bien? –pregunté.

–Lo único que sé es que era un hombre viejo, bajito, rosado y con bigotes –dijo la niña fangosa–. Unos retuercepescuezos se lo llevaron, pero no sé qué le sucedió después.

–Tiene que tratarse de Jakeman –grité–. Pero, ¿cómo demonios voy a encontrarlo si los retuercepescuezos lo tienen en su poder?

–Bueno, quizá te pueda ayudar. Conozco una entrada secreta al castillo –dijo Tom.

–¿De verdad? –grité–. Bueno, ¿a qué estamos esperando? ¡Vamos!

–Frena, frena –dijo Tom–. Primero tienes que saber lo que está pasando en Subterránea y a qué nos enfrentamos.

–¿Las cosas malas?

–Las cosas malas –asintió Tom, mientras le ofrecía una silla a Eliza y se sentaba en el suelo con las piernas cruzadas, delante del fuego.

¡Ahora sí! Por fin iba a saber qué ocurría exactamente en Subterránea. Y Tom tenía razón: eran cosas malas de verdad.

Las cosas malas

Mientras Ma estaba ocupada en la cocina inspeccionando y preparando la comida que Tom había traído a la casa para cenar, mis dos amigos fangosos me explicaron de qué manera la vida en Subterránea había ido de mal en peor.

–Todo empezó cuando el rey nombró a un nuevo consejero –explicó Tom–. Antes, él era muy amable y todo el mundo era feliz. Yo iba a la escuela con mis compañeros, y Ma se dedicaba a rizar las plumas de los sombreros de las personas de postín. ¿Y la comida? Oh, teníamos montones de comida. Cada semana, en la plaza se amontonaban carretillas repletas de verduras procedentes de los huertos. Todo era fantástico.

–Entonces, un día, ese tipo nuevo apareció en escena –explicó Eliza–. No sabemos de dónde vino, pero es verdaderamente espeluznante. Lleva un abrigo largo y negro, un ancho sombrero negro y se cubre la cara con una aterradora máscara de metal. Lo único que sabemos de él es que no cuenta nada y que da miedo, y que tiene alguna especie de poder sobre nuestro probre rey. Todo el mundo lo llama la Sombra. ¡Es un hombre totalmente maligno!

¡Uuuuauu! No me gustaba lo que me estaban contando, y un escalofrío me subió en zigzag por la espalda.

La sombra

–Algunos piensan que lleva una máscara porque, en verdad, es un horrible robot –dijo Tom–. Pero creemos que se debe a que es extranjero e intenta ocultar su piel rosada. Por eso desconfié un poco de ti al principio: creí que quizá tenías algo que ver con él.

–¡Oh, un millón de gracias! –dije–. ¿Es que tengo aspecto de ser camarada de un abyecto villano que pone los pelos de punta?

–No, tú eres guay –dijo Tom, sonriendo. Pero se puso serio enseguida–. No creo que comprendas hasta qué punto la Sombra es maligna. Tan pronto como apareció, el rey empezó a dictaminar leyes muy estrictas y todo empezó a ir mal en Subterránea.

–Muy mal –dijo Eliza–. Lo primero que hizo fue organizar a los retuercepescuezos para tenernos controlados. Ya sabes lo crueles que pueden ser.

Los retuercepescuezos imponen la ley con mano de hierro.

–Luego formó la guardia de trogs, un ejército compuesto por los trogloditas más feroces que encontró –continuó Tom–. Les ordenó que invadieran Barbaria, su mismo país, que capturaran a todos los trogs que quedaran y los trajeran como esclavos.

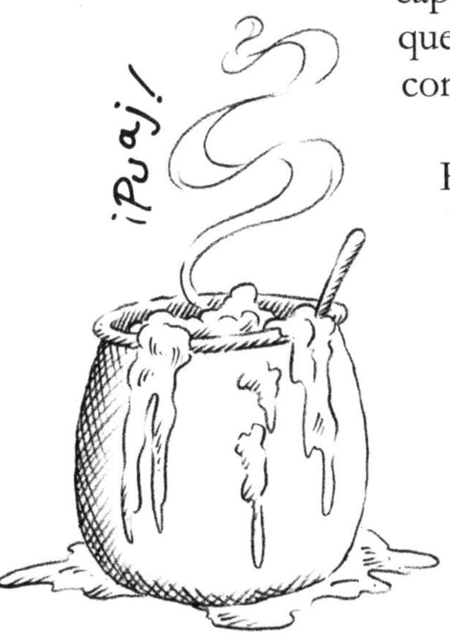

–¡Vaya un cerdo! –dijo Eliza.

–¡Bueno, Eliza! Por favor, ese lenguaje –dijo Ma mientras removía el apestoso contenido de un gran cazo que había sobre el fuego.

–Pues eso es lo que es –replicó Eliza–. Obliga a los pobres trogs a cavar y cavar durante todo el día en la mina en busca de la preciosa luz de nuestra roca de caverna... ¿y para qué? ¡Todo es tan absurdo!

–Y ahora, toda la comida de nuestros huertos se destina a alimentar a sus secuaces –dijo Tom–. Lo poco que queda se echa a los esclavos. Es por eso que tenemos que hurgar en la basura para encontrar nuestra comida.

–¡Eso es horrible! ¿Por qué no hace nada al respecto la gente de Subterránea? –pregunté con ingenuidad–. El rey los escucharía, si es tan bueno como decís.

–Lo hemos intentado, por supuesto –dijo Ma, irritada, dejando los cubiertos bruscamente sobre la mesa–. Algunos hombres llegaron hasta sus puertas y pidieron que les dejaran entrar. Desaparecieron dentro del castillo... ¡y eso fue lo último que supimos de ellos!

–Y esos secuaces son los que han apresado a tu amigo Jakeman –dijo Eliza.

–¡Cáspita! ¡Pobre viejo Jakeman, y pobres vosotros! Tenemos que hacer algo –grité.

–Sí, bueno, ya pensarás en eso después de cenar –repuso Ma–. ¿Quién quiere un poco de guisado de sobras?

«¡Oh, caracoles!», pensé. ¿Qué delicias nos ofrecería el guisado de sobras?

¡Un extraño hallazgo en mi cena!

Ma nos sirvió el guisado en nuestros cuencos. Sabíamos que lo había preparado con lo que Tom había encontrado, pero teníamos hambre y nos lanzamos a él. Era bueno... es decir, ¡tan bueno como era posible!

Tenía unos trocitos de una carne verdosa (esperé que no fuera de rata), y estoy seguro de que había una o dos pasas flotando en esa salsa terrosa. También había trozos de zanahoria y media tarta de mermelada, una goma elástica (que estaba bastante bien) y una cosa que parecía el hocico de un cerdo. Pero fue Eliza quien descubrió el ingrediente más sorprendente.

–¿Qué es esto? –preguntó, levantando la cuchara del cuenco.

¡De la cuchara colgaban, chorreando salsa, unas gafas!

–Vaya, no son mías –dijo Ma.

–Debo de haberlas recogido en las llanuras –dijo Tom.

–Déjame ver –le pedí, y Eliza me las dio–. ¡Eh, son las gafas de Jakeman!

–Eso demuestra que se encuentra en el castillo –aseguró Tom–. Es de ahí de donde vienen las alcantarillas.

–¿Y cómo vamos a encontrarlo? –pregunté.

–Tengo una idea... –dijo Tom.

La historia de Tom

–He visitado el castillo en secreto para averiguar qué estaba pasando allí dentro –continuó Tom, hablando con la boca llena–. Hay un muelle, cerca, que se eleva sobre las llanuras fangosas apoyado encima de unos altos pilares de madera. Justo detrás, donde las llanuras se encuentran con la pared del puerto, están las bocas de las enormes alcantarillas.

»Un día que me sentía valiente decidí subir por una de las alcantarillas para ver adónde conducía. Llegué hasta una gran reja metálica. Conseguí separarla un poco y me colé. ¡Entonces me encontré en un pasadizo *dentro* de los muros del castillo!

–¡Eso es increíble! –exclamé.

–Es alucinantemente fantástico –dijo Tom–. Muchos muros tienen pasadizos secretos y recorren todo el castillo. He dibujado un plano para no perderme.

Tom se sacó un sucio trozo de papel del bolsillo y me lo enseñó. Este es un trozo (Tom me lo dio como recuerdo; el resto se rompió):

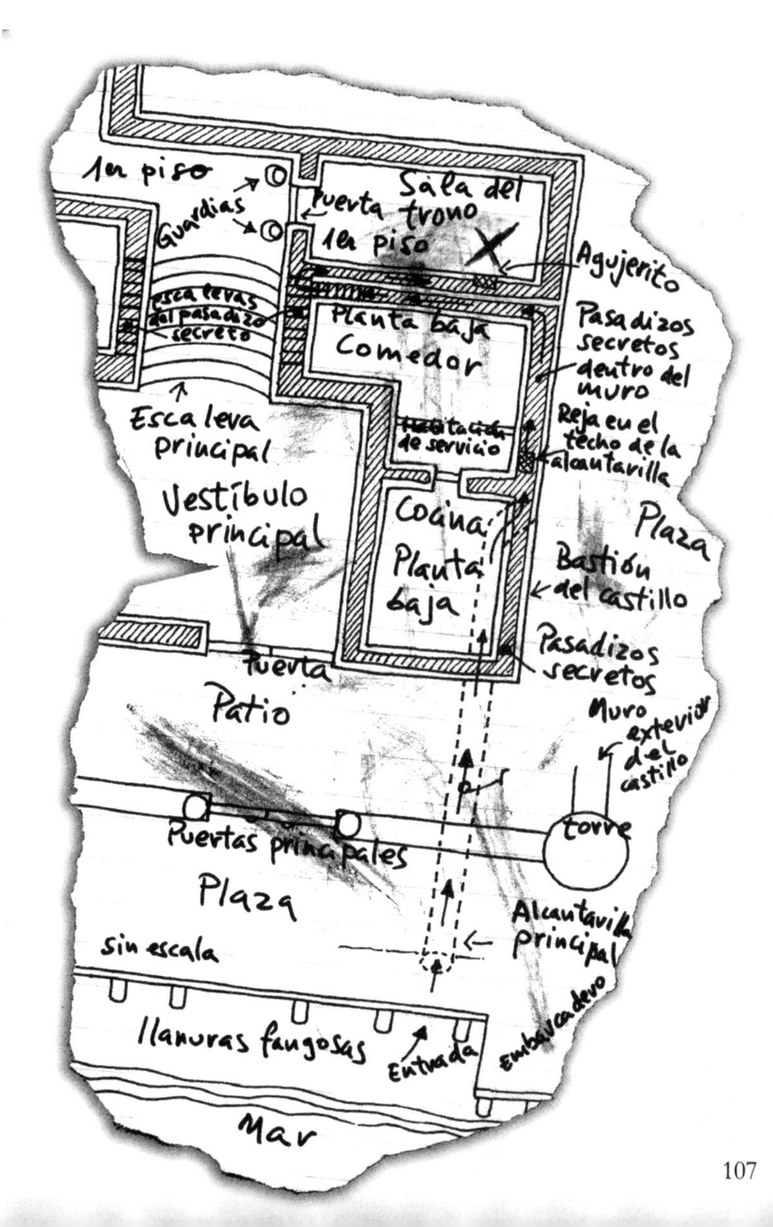
1er piso
Guardias
Puerta 1er piso
Sala del trono 1er piso
Agujerito
escaleras del pasadizo secreto
Planta baja Comedor
Pasadizos secretos dentro del muro
Escalera principal
Habitación de servicio
Reja en el techo de la alcantarilla
Vestíbulo principal
Cocina Planta baja
Plaza
Bastión del castillo
Pasadizos secretos
Puerta
Patio
Muro exterior del castillo
Puertas principales
torre
Plaza
Alcantarilla principal
sin escala
llanuras fangosas
Entrada
embarcadero
Mar

Pasadizos secretos

Los muros del castillo están huecos, y hay pasadizos que conducen a todas las habitaciones.

–¿Cómo consigues subir y bajar las escaleras? –pregunté.

–Eso es lo más increíble de todo –respondió Tom–. Si en un pasillo hay escaleras, en el pasadizo secreto también. Se puede subir y bajar a todos los pisos. Bueno, por lo menos, casi siempre. A veces hay que subir por una entrada de ventilación y colarse por los pasillos del castillo. Pero siempre encuentro otra rejilla para volver a entrar en el pasadizo secreto.

–¿Qué significa esa X grande? –pregunté.

–Es la sala del Trono del rey –repuso Tom.

–¡Uau! ¿Lo has visto?

–Lo he visto –dijo Tom–, pero no me atreví a hablar con él... había un enorme guardia del Trono al otro lado de la puerta.

–Me gustaría saber qué le ha pasado a la reina –dijo Ma de repente–. Hace años que nadie la ha visto.

–No hay ni rastro de ella en el castillo –dijo Tom.

–¡Oh, vaya! ¿Qué es lo que estará pasando ahí dentro? –se lamentó Ma, de nuevo preocupada–. ¿Qué vamos a hacer?

–No te preocupes, Ma, ya pensaremos algo –dijo Tom–. ¿Verdad, Lize?

La historia de Eliza

–¡Lo que necesitamos es organizar un motín! –dijo Eliza, mascando con rabia un trozo de cartílago–. He estado reuniéndome en secreto con los esclavos trogs. Duermen en un profundo agujero excavado en el suelo, todos amontonados. Algunas noches me cuelo entre los guardias y bajo al foso de los trogs. He estado intentando convencerlos para que se enfrenten a los secuaces de la Sombra y que luchen.

–Debes de haberte vuelto loca para meterte ahí después del toque de queda –dijo Ma.

–¿Cómo hablas con los trogs? –pregunté–. Parece que solo conocen una palabra: ¡*man-cha*!

–He intentado enseñarles inglés, pero les cuesta pronunciar las palabras. Así que he inventado un lenguaje de signos muy sencillo –dijo Eliza–. Son muy listos, y también son amables.

–¿De verdad? –me asombré, pensando otra vez que había juzgado mal a esos seres–. ¿Están dispuestos a luchar?

–Todavía no están listos. Le tienen un miedo mortal a la Sombra –dijo Eliza–. Solo con que lo miren de forma extraña, la Sombra los lanza al foso de fuego.

–¡Por Josafat! –grité. Por eso encontré tantos huesos en la tela de araña de la Aracnión.

–Lucharían si recibieran ayuda –dijo Eliza.

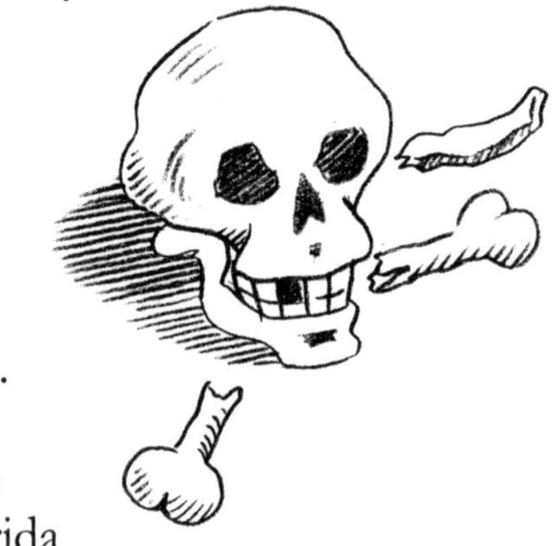

–¿Y si la gente de la ciudad se uniera a ellos? –preguntó Ma–. Estoy segura de que estarían dispuestos a desafiar a la Sombra y a sus guardias... especialmente si eso hiciera regresar a nuestro buen rey y a nuestra querida reina.

–¿Crees que lo harían? –dudó Eliza–. Supongo que eso sería importante.

–¡Necesitamos un plan! –dije, dando un puñetazo en la mesa que hizo saltar el salero y el pimentero–. ¡Un plan para acabar con la siniestra Sombra y con todos sus secuaces!

–Desde luego –asintió Tom–. Y lo que yo creo es que tenemos que hacer lo siguiente...

De repente se oyó un terrible estruendo procedente de los cubos de basura del patio trasero. Tom dio un respingo.

–Alguien nos ha estado escuchando –dijo, mirando por la ventana.

–¿Quién hay ahí fuera? –preguntó Ma, poniéndose en pie y retorciéndose el delantal de los nervios–. Espero que no sea un estúpido retuercepescuezos.

–¡Buf! –dijo Tom, girándose y sonriendo–. ¡Que no cunda el pánico! Solo era un tonto zorro de piedra que rebuscaba en la basura.

Un plan y un pacto

Ma corrió las cortinas y todos volvimos a sentarnos muy juntos alrededor de la mesa.

–Este es el plan –dijo Tom–. Mañana por la mañana, Charlie y yo iremos al castillo. Tenemos que averiguar quién es la Sombra y qué poder ejerce sobre el rey. Luego tenemos que descubrir qué le ha pasado a la reina y cómo localizar a tu amigo.

–Si Jakeman está en el castillo, no cabe duda de que nos echará una mano –dije–. Es un inventor genial y seguro que se le ocurrirá alguna máquina que nos ayude.

–¡Y luego tendremos que iniciar un motín!

–Haré correr la voz por el vecindario de que la hora de rebelarnos se acerca –dijo Ma.

–Y esta noche iré a ver a los trogs y les diré que estén preparados –dijo Eliza–. Esto es emocionante. ¡Está a punto de suceder algo importante!

–¿De acuerdo? –preguntó Tom.

–¡De acuerdo! –contestamos todos.

Luego, todos escupimos en las palmas de las manos y las unimos para sellar el pacto. ¡Incluso la buena y vieja Ma!

Ahora estoy tumbado en la cama, procurando dormir un poco para estar descansado mañana, que será el gran día. Pero no es fácil: ¡empiezo a darme cuenta del pacto que he sellado! Voy a colarme dentro de un castillo desde el cual un misterioso y oscuro enemigo domina todo el Mundo Subterráneo. ¡Voy a ayudar a iniciar una revolución! Solo el Cielo sabe lo que nos puede suceder si la Sombra nos pilla...

¡Un disfraz ingenioso!

A la mañana siguiente, después de desayunar unos trozos de pan duro y unas cortezas de panceta fritas, Tom me llevó al pequeño patio trasero, iluminado por las brillantes rocas del cielo y cercado por las altas paredes de las casas de alrededor.

Ma tenía el patio muy limpio. Por todos los rincones había unas tinas de madera llenas de un montón de flores de colores. Tom metió la mano en una de ellas y sacó un puñado de tierra olorosa.

–Restriégate la cara con esto –me dijo.

–Debes de estar bromeando –repuse–. ¿Para qué tengo que hacerlo?

–Para disimular el color de tu piel, por supuesto. Todos los subterráneos tenemos la piel gris. Llamarías la atención como un semáforo con tu cara rosada, y si un retuercepescuezos te viera, te encontrarías en un serio problema.

¡Me embadurné de tierra de pies a cabeza!

–¡Ah! Si es así... –dije.

Me arrodillé, empecé a coger puñados de tierra y me embadurné la cara y las manos. También me embadurné el cabello hasta que me quedó tan negro como el de Tom. Al cabo de un rato, éramos indistinguibles.

–Perfecto –dijo Tom sonriendo–. Pongámonos en marcha.

En las llanuras fangosas

La pobre y vieja Ma pareció muy preocupada cuando nos despedimos.

–Oh, tened mucho cuidado, chicos –dijo, mientras agitaba la servilleta del té para decirnos adiós–. No me gusta que os metáis en ese sitio terrible. ¡Es como meterse en la boca del lobo! No hagáis ninguna tontería y no os retraséis para el té.

–No te preocupes, todo irá bien –dijo Tom con confianza–. Ya he estado ahí antes. ¿Qué podría ir mal?

Seguí a Tom por el estrecho callejón que había entre las casas. Si hubiera hecho caso del sentido común, hubiera sabido que algo sí iría mal, porque eso era, casi exactamente, lo que mi mamá me había dicho cuatrocientos años antes, cuando me fui para navegar con mi balsa.

Seguí a Tom por los callejones, girando a derecha e izquierda y pasando por delante de casas y pequeñas tiendas. Los callejones estaban abarrotados de gente, pero vi que las tiendas de comida estaban vacías y comprendí por qué Tom se iba a rebuscar en las llanuras fangosas.

Las retorcidas callejuelas de Subterránea eran como esos laberintos que se ven en los pasatiempos: esos en los que hay que encontrar el camino que conduce a algún tesoro o algo parecido. Sabía que, si perdía de vista a Tom tan solo un momento, nunca encontraría el camino de regreso a su casa.

Todas las casas estaban excavadas en la roca azulgrisácea de la gran caverna. Los muros eran bastos y se veían las señales de las herramientas

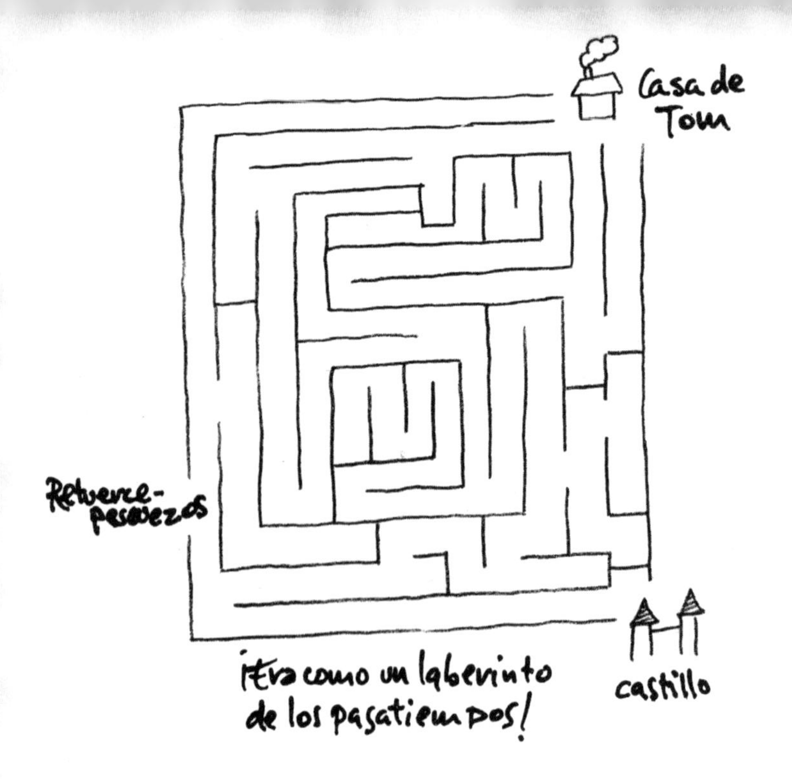

de los albañiles. La piedra tenía unas vetas de un mineral fosforescente que brillaban iluminando los callejones.

Al final, cuando ya estaba totalmente confundido y había perdido el sentido de la orientación, Tom se detuvo y sacó la cabeza por una esquina.

–No podemos dejar que el retuercepescuezos nos vea –dijo, mirando a derecha e izquierda–. ¡Ahora! ¡Vamos!

Tom salió corriendo. Yo lo seguí pisándole los talones. Salimos del estrecho callejón a una plaza grande, y allí vi el castillo por primera vez.

El castillo

La gran fortaleza se elevaba amenazadora por encima de nosotros. Me detuve y la contemplé, asombrado. Tenía los gruesos muros pintados de blanco, y todo el palacio brillaba por la luz de las piedras. Sus enormes torres tenían unos techos cónicos y puntiagudos que estaban cubiertos de baldosas de terracota. Parecía un castillo sacado de un cuento de hadas.

Tom me tiró de la manga antes de que tuviera tiempo de verlo bien. Salimos corriendo por la plaza en dirección al muelle, desde donde los espigones se dispersaban por encima de la anegada orilla del Gran Mar Subterrestre.

–¡Salta! –gritó Tom.

Salté desde el extremo de uno de los espigones y aterricé, chapoteando y hundido hasta las rodillas, en el fango de las llanuras.

–Por aquí –me dijo.

Tom me guio por debajo de los espigones hacia el muro del puerto, donde se encontraban las bocas de las alcantarillas que pasaban por debajo de la plaza.

Los amos del barro

Cuando me hube acostumbrado a la oscuridad que reinaba bajo los espigones, me di cuenta de que no estábamos solos. Allí abajo había un ejército de niños, metidos en el barro hasta las pantorrillas, que rebuscaban con las manos entre la porquería.

De vez en cuando uno de ellos sacaba algo del barro, lo lavaba en un charco de agua, lo observaba y, o bien lo volvía a tirar, o se lo guardaba en un saco que llevaba colgado del cinturón.

–Buenos días, Tom –oí que decía alguien

oculto en las sombras. Eliza salió a la luz, con el saco empapado de barro–. ¿Ya estáis listos?

–Claro –respondió Tom.

Yo deseé tener la misma seguridad que él, porque ¡las rodillas me temblaban hasta el punto que entrechocaban como unas castañuelas!

–¿Qué tal te fue con los trogs ayer por la noche?

–¡Buenas noticias! Tal como habíamos esperado –dijo Eliza, con sus enormes ojos brillantes–. ¡Si la gente de la ciudad nos ayuda, los esclavos trogs se enfrentarán a sus temibles guardianes! Están esperando la señal de salida.

–Genial –dijo Tom–. Pero, primero, Charlie y yo tenemos que entrar en el castillo. Cuando hayamos podido hablar con el rey y hayamos encontrado al amigo de Charlie, sabremos más cosas. Nos encontraremos en mi casa esta tarde. ¡Y así daremos los últimos toques a nuestro plan!

–Seguro que sí –afirmó Eliza–. Buena suerte.

–¿Listo, Charlie? –preguntó Tom–. Vamos, entonces. Te llevaré directamente hasta el corazón del castillo: ¡la sala del Trono!

Tragué saliva y seguí a Tom por el denso barro. Los dos nos introdujimos en las profundas sombras bajo el muelle.

¡Por las alcantarillas!

Llegamos hasta la boca de la alcantarilla que pasaba por debajo de la plaza de adoquines y desembocaba en el mismo castillo. En cuanto nos quedamos a oscuras, Tom se metió la mano en el bolsillo y sacó un trozo de piedra veteado de mineral fosforescente que iluminó la enorme caverna. La luz que nos daba era más que suficiente para que pudiéramos avanzar por el ancho y apestoso canal.

Avanzamos con las piernas metidas en la porquería hasta los tobillos. De vez en cuando, Tom metía la mano en el fango y sacaba un resto de comida. Era como si tuviera un sexto sentido para encontrarla, porque yo no era capaz de ver nada en absoluto. Pronto hubo llenado el saco con un montón de pelados restos de comida. Lo único que yo percibía era el insoportable hedor de la comida pasada y del agua estancada.

Al cabo de poco rato salimos a una cámara de paredes de ladrillo y techo en bóveda en la cual desembocaban las bocas de otras alcantarillas.

–Por aquí –susurró Tom.

Me condujo por otro canal que subía en pendiente hasta que llegamos bajo una rejilla que había en el techo. Miré a través de ella y vi que habíamos llegado a la gran y ajetreada cocina del castillo. Encima de nosotros, el barrigudo jefe de cocina daba órdenes a grito pelado a su equipo de ayudantes, pasteleros y cocineros, que no dejaban de cortar, preparar y cocinar todos los ingredientes que se amontonaban encima de las mesas.

–¡Oh, qué bien huele, qué comida tan deliciosa! –dijo Tom, cerrando los ojos mientras se sujetaba la barriga con las manos. Oí que las tripas le hacían ruido–. Y pensar que todo eso va a ser el alimento de la Sombra y de sus secuaces, mientras que mi pobre y vieja mamá está en casa con un trozo de pan duro. No es justo.

En ese mismo momento, un trozo de pastel crudo cayó por la rejilla. Tom lo cogió con la rapidez de un rayo y se lo guardó en el saco.

–Vamos –susurró, tirándome de la manga.

Continuamos adelante por la alcantarilla, pasando por debajo de la cocina. Dejamos atrás varias tuberías apestosas y avanzamos hasta llegar a otra rejilla. Esta vez Tom me indicó con un gesto que le hiciera la sillita. Junté las manos para que pudiera poner el pie sobre ellas y lo levanté. Tom empujó la rejilla de hierro, que cayó al otro lado con un fuerte golpe. Esperamos a que el ruido se apagara del todo y luego Tom subió por el agujero. En cuanto estuvo arriba, tiró de mí para subirme con él.

Entre las paredes

Nos encontrábamos en un pasadizo alto y seco. Seguí a Tom, que mantenía en alto el trozo de piedra fosforescente y avanzaba consultando el plano del castillo. Al cabo de poco llegamos a un nuevo pasadizo que salía hacia la izquierda.

–Por aquí –susurró Tom.

Justo en ese momento tropecé con unas piedras del suelo y caí contra una de las paredes.

–¡Shhh! Los guardias trogs nos podrían oír.

–¡Lo siento! –murmuré, y continué avanzando con mayor cuidado.

Giramos otra vez y subimos unos pequeños escalones de piedra hasta el siguiente piso, desde donde vi un cuadrado de luz un poco más adelante. Cuando nos acercamos a él me di cuenta de que era una rejilla de ventilación que se encontraba en la pared.

–Echa un vistazo –dijo Tom en voz baja.

Miré por encima de su hombro. Allí estaba el rey, sentado en su trono y con los ojos fijos en el vacío. Era un hombre diminuto, de piel agrisada, y posiblemente una de las personas más tristes que yo había visto nunca.

El rey de Subterránea

El rey estaba sentado y apoyaba la cabeza sobre una mano. No dejaba de suspirar y de murmurar para sí mismo.

–No lo toleraré –decía–. Ya basta. Tengo que decírselo claramente: yo soy quien manda, y él tiene que desaparecer y dejar en paz a mi gente. Sí, eso es lo que voy a hacer. No me asusta... ¡Ay! ¿A quién quiero engañar? ¿Qué voy a hacer?

Justo en ese momento, las grandes puertas del trono se abrieron con gran estruendo y un hombre alto y vestido de negro entró en la sala como un vendaval.

¡La sombra de Subterránea en persona!

Al ver a esa maligna figura acercarse al rey, un gran escalofrío me subió por la espalda. La Sombra llevaba un sombrero calado hasta los ojos, y su cabeza sobresalía del cuello de su largo abrigo negro como la de una tortuga que saca la cabeza por el caparazón. Pero lo que daba más miedo de él era la brillante máscara de metal con que se cubría el rostro. Era una máscara puntiaguda, angular, con un pincho por nariz y una barbilla afilada, y detrás de dos estrechas aberturas se veía sus ojos brillantes y enojados.

–Es la Sombra –susurró Tom, aunque no hacía falta que me lo dijera.

–¡Ya me he dado cuenta! –repuse.

–Querías verme –dijo la Sombra, impaciente, al rey–. ¿Qué quieres? Date prisa, no tengo todo el día.

El rey se puso en pie, nervioso.

–¡Yo... yo ya estoy harto! –tartamudeó–. Tienes que dejar de tratar tan mal a mis súbditos... tienes que...

–¿QUÉ? –bramó la Sombra, temblando de rabia.

–Dale comida a mi gente –repuso el rey con una voz cada vez más débil–. Se está muriendo de hambre. Quiero que te marches de aquí, matón.

–Bien hecho, Majestad –susurró Tom–. Ponte en pie ante el villano.

–¿Es que olvidas quién manda aquí? –rugió la Sombra, acercándose al rey con actitud amenazadora–. ¿Es que te olvidas de tu bonita y preciosa esposa?

El rey se dejó caer en el trono, abatido.

–¿Qué has hecho con ella? –preguntó–. ¿Cuándo podré volver a verla?

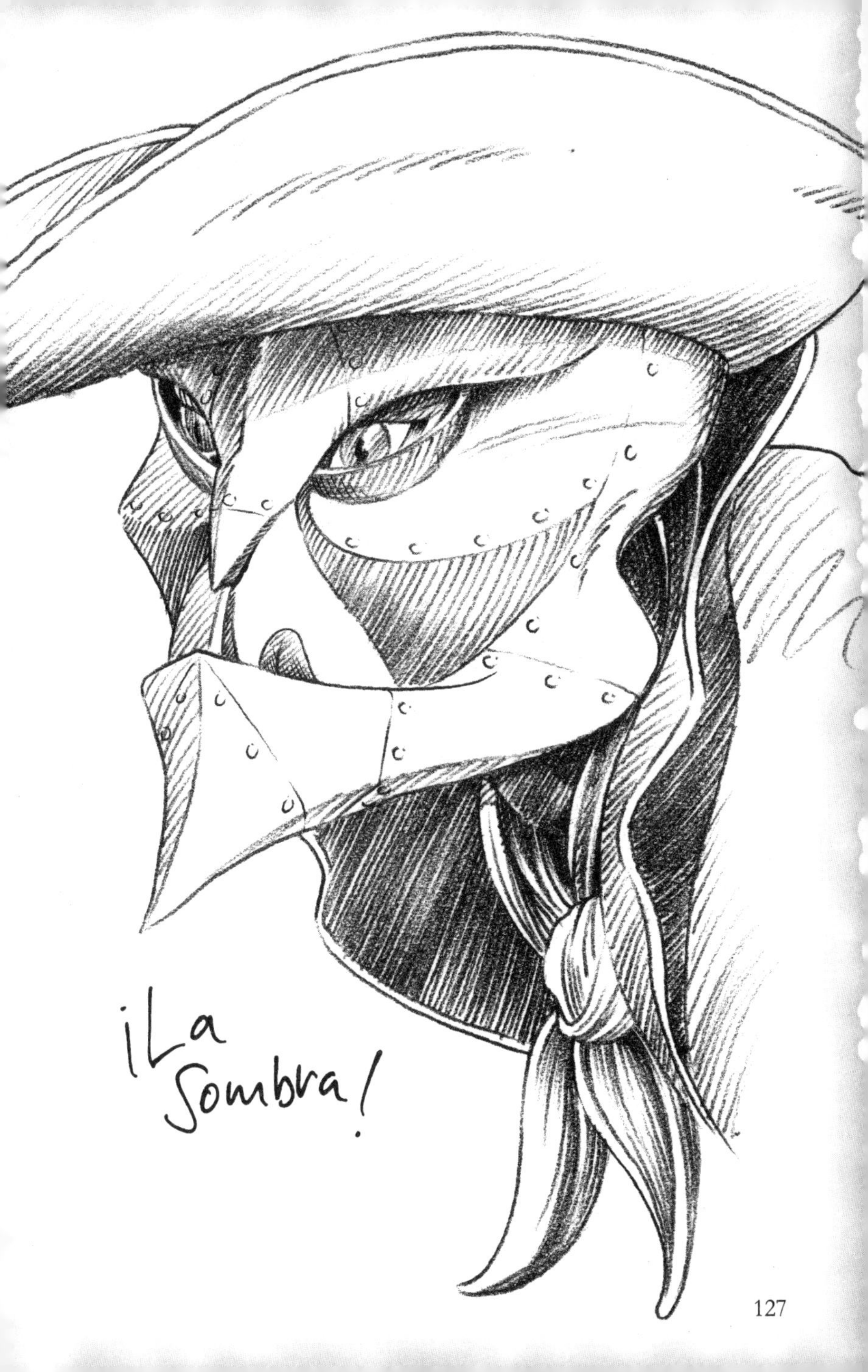
¡La Sombra!

–Ya te lo he dicho, la podrás ver cuando haya terminado con mi trabajo. Hasta entonces, tienes que hacer exactamente lo que yo te diga o ella acabará en el fondo del foso de fuego, igual que todos los que se han atrevido a desobedecerme.

–Así que es por eso que la Sombra tiene tanto poder sobre el rey –murmuró Tom–. Ha hecho prisionera a la reina.

–¡Malvado déspota! –chilló el rey–. Por lo menos, da comida a mi gente. No puede ser que la necesites toda para ti.

La Sombra empezaba a enojarse otra vez. Daba vueltas por la habitación, gesticulando salvajemente. Entonces, sin saber por qué, me pareció que reconocía en él algo que me resultaba muy familiar. «Conozco a este hombre –pensé–. Pero ¿quién es?»

–¿Cuándo vas a aprender, real imbécil? –tronó la Sombra–. Necesito toda la comida disponible para mis esbirros. Necesitan estar fuertes para mantener a raya a esos malditos esclavos. Pronto, cuando ese bufón bigotudo acabe de construir mi maravilloso topo mecánico, aceleraré mi operación.

–¿Y cuándo nos dejarás en paz? –preguntó el triste rey.

–Entonces os dejaré en paz... y en la oscuridad, me temo, pues tengo intención de llevarme hasta la última veta de luz que hay en este Mundo Subterráneo olvidado de Dios.

–Pero ¡si nos dejas a oscuras, mi gente no podrá sobrevivir de ninguna manera!

–Ese no es mi problema, Majestad. Lo único que me interesa es llevarme las rocas luminosas arriba, sobre la tierra. Imagina la riqueza que acumularé cuando venda este maravilloso mineral. Ya no harán falta lámparas de aceite, ni de gas, ni bombillas eléctricas. Ciudades enteras tendrán luz gracias a mis rocas luminosas, y yo seré el hombre más rico del mundo antes de que haya pasado un mes. ¡Ja, ja, ja, ja!

–No eres más que un flan cobarde, que te escondes detrás de esa máscara –replicó el rey–. Si tuviera la seguridad de que la reina está a salvo, con una patada te echaría de mi reino para siempre.

–Oh, resultas tan divertido, Majestad –se rio la Sombra–. ¡Bueno, si eso es lo único que querías decirme, ahora tengo que irme a ver cómo le va a ese idiota inventor con mi topo!

Después de decir eso, la Sombra dio media vuelta y salió de la sala del Trono.

–Vamos –dije–. Tenemos que seguirlo. Ha dicho que va a ver al inventor. Debe de tratarse de Jakeman. Él sabrá qué hacer.

–De acuerdo –dijo Tom–. ¡Vamos!

¡Colándonos por todas partes como ratas!

Avanzamos a toda prisa por el pasadizo secreto y bajamos unos escalones hasta que llegamos a otra rejilla de ventilación en un muro. Cuando miré a través de ella vi que la Sombra cruzaba el vestíbulo principal.

–¿Y ahora qué? –pregunté al ver que nuestra presa desaparecía por una puerta al otro extremo de la sala.

–No te preocupes –dijo Tom–. Ya he pasado por aquí antes.

Tom dio un buen tirón a la rejilla y la desencajó de la pared casi sin hacer ningún ruido. Luego los dos salimos al vestíbulo.

–¡Ahora silencio! –susurró Tom, mientras volvía a colocar la rejilla en su sitio–. La sala del Trono está justo arriba de esas escaleras. Tenemos que asegurarnos de que no nos ve ningún guardia.

Cruzamos el enorme vestíbulo sin hacer ningún ruido, escondiéndonos detrás de los muebles para que nadie pudiera vernos. Cruzamos la puerta del otro extremo y bajamos por una estrecha escalera de caracol hasta que llegamos a las profundidades del castillo, más abajo de donde pasaban las alcantarillas por las cuales nos habíamos colado dentro de la fortaleza. Entramos en un pasadizo largo y oscuro cuyos muros estaban apuntalados con enormes contrafuertes y allí, al otro extremo del pasadizo, vimos a la Sombra.

Estaba de pie, de espaldas a nosotros, ante una pesada puerta que tenía una ventanita enrejada.

–¡Deprisa! –susurré.

Tom y yo nos ocultamos detrás de uno de los contrafuertes. La Sombra se sacó una llave del bolsillo y abrió la puerta. Luego hizo una cosa sorprendente: se llevó la mano a la barbilla y se quitó la máscara... *¡y yo me llevé la mayor impresión de mi vida!*

Un viejo, viejo, amigo

← ¡Socorro! ¡Silbidos de abucheo!

–¡Es Craik! –exclamé, sin poder contenerme.

Hubiera reconocido su cara en cualquier parte, con su mandíbula grande y cuadrada y la pálida cicatriz que le atravesaba la mejilla izquierda.

Craik se dio media vuelta para ver de dónde venía el ruido. Avanzó un poco por el pasadizo con sus pesadas botas, mirando a su alrededor. Finalmente se detuvo justo al otro lado de nuestro escondite. Se hizo un profundo silencio, y Tom y yo aguantamos la respiración mientras nuestros corazones latían como caballos desbocados. Por fin, Craik se dio media vuelta y regresó a la puerta. Tom y yo soltamos un suspiro.

–¡Ha ido por poco! –murmuró Tom–. ¿Quién es Craik?

–Es un rastrero y malvado hijo de serpiente –respondí.

–¡Uau! No te cae nada bien, ¿verdad? –dijo Tom.

–Es mi enemigo mortal, Tom. ¡Yo le robé cuando me hice a la mar con las piratas y él juró seguirme hasta el último confín de la Tierra para hacer que me colgaran!

Justo en ese momento oímos unas voces que procedían del interior de la habitación.

–¡Es Jakeman! –dije–. Quédate aquí, Tom. Voy a echar un vistazo más de cerca.

–No, Charlie... –susurró Tom.

Pero yo ya me encontraba a medio camino hacia la puerta, que estaba entrecerrada. Al llegar, acerqué la cara despacio para mirar.

Dentro, en la habitación tenuemente iluminada por las rocas luminosas, se hallaba mi amigo

Jakeman. ¡Por fin lo había encontrado! Estaba al lado de una enorme máquina que tenía un gran montón de cables colgando de uno de los costados.

Era una mole impresionante construida con gruesas planchas de metal sujetadas con miles de remaches. En uno de los extremos del aparato había una gran nariz perforadora rodeada por una espiral de hoja de cuchillo cuyo filo era de diamante. Era increíble.

A su alrededor colgaban herramientas de todo tipo; bancos de trabajo y tornos se alineaban a un lado de la habitación; un montón de planos y de esbozos cubrían el suelo, y una enorme pizarra apoyada sobre una pared estaba abarrotada de la caligrafía de Jakeman.

¡Hurra! ¡He encontrado a Jakeman!

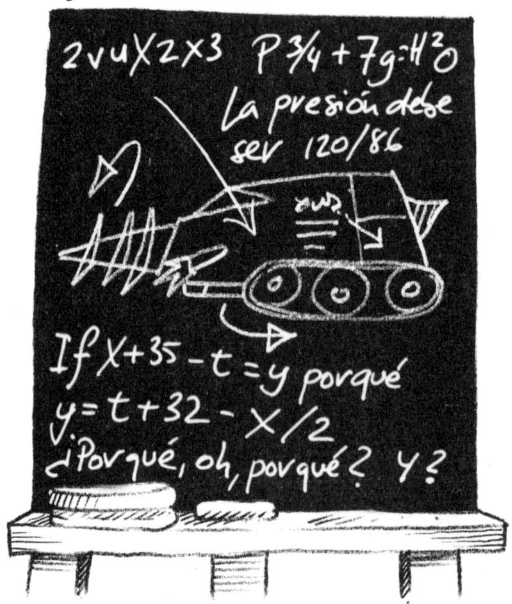

–No puedo decir cuándo estará terminado –explicaba Jakeman–. Dentro de una semana, quizá dos.

–Eso no es suficiente, viejo idiota –gritó Craik y, acercándose a mi amigo, lo agarró por el cuello–. Tengo muchas ganas de lanzarte al foso –gruñó.

Intenté ahogar un grito de terror, y esta vez Craik no solo me oyó, sino que soltó a Jakeman, vino hasta la puerta y me cogió por el pescuezo sin que yo tuviera tiempo de escapar. Entonces, con un siseo amenazador, Craik me lanzó dentro de la habitación.

¡Jakeman, por fin!

Aterricé al lado de la enorme y grasienta máquina.

–¡Charlie! –exclamó Jakeman, mientras me ayudaba a ponerme en pie.

–Hola, señor Jakeman –dije sonriendo–. ¡Lo he estado buscando!

–Vaya, vaya, si es mi viejo amigo Charlie Small –dijo Craik haciendo una mueca que dejó al descubierto todos sus dientes podridos–. Estaba convencido de que aparecerías en cualquier momento, eres como la peste.

–Pues yo pensé que tú habías sido aplastado por el arco de hielo –repliqué, desafiante.

(Ver mi diario El rey de las marionetas)

–¡Oh, qué más quisieras! –dijo Craik–. Te diré qué sucedió exactamente, ¿te parece, gusano metomentodo? Cuando hiciste caer sobre mí ese colosal trozo de hielo, el suelo empezó a temblar bajo mis pies. Se abrió una grieta enorme y caí en ella. Caí y caí durante tanto tiempo ¡que pensé que iría a parar al centro de la Tierra! Pero, por suerte, llegué al Mundo Subterráneo... ¡y sin hacerme ni un rasguño!

–Y ahora te has apoderado por la fuerza de toda Subterránea. ¡Típico! –dije.

–Sí, he conseguido montármelo bastante bien aquí abajo –dijo con una sonrisa burlona–. Es sorprendente lo que se puede conseguir con una máscara horripilante y una prisionera real. Todo aquel que se interpone en mi camino termina en el foso de fuego. Es muy fácil... igual que robarle un caramelo a un niño.

–¿Y a qué viene esa absurda máscara? No da nada de miedo –mentí.

–Oh, yo creo que sí –replicó Craik, levantándola–. Sin ella, yo solamente sería un extranjero de piel rosada. No daría más miedo que tú, Charlie. Pero con ella soy terrorífico, pavoroso: ¡EL DIABLO!

Para ser sincero, debo decir que él ya me parecía terrorífico sin la máscara.

–Y aunque he estado muy ocupado por aquí abajo, nunca olvidé la promesa que te hice, Charlie –continuó Craik–. Tengo espías por todas partes, y he oído todo lo referente a tus patéticas victorias con las piratas de la isla Destino y de cómo encontraste a Jakeman.

»Pero resulta que yo también necesitaba a Jakeman, y cuando me enteré de que él estaba cruzando el desierto en compañía de un chico pequeño, mandé a uno de mis guardias trogloditas hacia arriba para que os atrapara. Imagínate cuál fue mi decepción al ver que solamente traía uno de los dos trofeos. Pero sabía que no serías capaz de no entrometerte. Sabía que aparecerías, al final.

–Apártate, Craik –lo desafié–. No me asustaste entonces, ni tampoco me asustas ahora.

–Sí, déjalo en paz o te arrepentirás –gruñó Jakeman.

¡Otra horrible sorpresa! (¡Uau!)

–Esas son palabras muy descaradas en boca de un niño hacia un hombre mayor –se burló Craik–. Oh, me olvidaba, hay otro amigo tuyo a quien te gustaría ver, Charlie; es alguien que me ha estado ayudando. La encontré abandonada en el *Betty Mae*. Solo los Cielos saben cómo esa vieja chatarra acabó en el Gran Mar Subterrestre, pero así fue, ¿y quién había a bordo si no...? Pero, espera un momento, si está aquí. ¿No la quieres saludar?

Me di la vuelta sin saber qué esperar: quizá a la capitana Cortagargantas, o a Rawcliffe Annie, o a cualquier otra de esas piratas ávidas de sangre con las cuales había navegado.

Pero encontré a alguien peor. Mucho peor.

–¡Bobo! –chillé al ver a la maligna mandril entrar en la habitación.

Había esperado no volver a verla nunca más. Bobo se sentó sobre sus patas traseras y soltó un chillido enseñando todos los dientes.

–Charlie Small –gruñó en el idioma de los gorilas y mirándome con odio–. Oh, que encuentro tan delicioso; ¿qué terribles trabajos podría imaginar para ti?

–Pensé que te alegrarías de ver a tu antigua amiga. Además, recuerdas mi promesa, ¿verdad, Charlie? –dijo Craik, sacando la lengua con una mueca, imitando la cara de un colgado–. Pero por el momento podrás quedarte a ayudar a este inventor idiota a terminar mi máquina perforadora. Poneos manos a la obra: tenéis dos días para terminar. Si no, el chico lo va a pasar muy mal.

Después de que Craik dijera eso, la maligna pareja salió de la habitación y cerraron la puerta con llave.

Odio a Bobo. ¡De verdad!

Otra vez Jakeman

No me lo podía creer: volvía a ser un prisionero. Y como si esto no fuera bastante malo, ¡era el prisionero de dos de mis más antiguos y peores enemigos: Craik y Bobo!

Pero, por lo menos, había encontrado a mi amigo Jakeman. Fue fantástico volver a verlo, y en cuanto mis dos adversarios hubieron salido, Jakeman me dio unas palmaditas en la cabeza y me desordenó el pelo con un gesto cariñoso.

–¿Cómo demonios has conseguido llegar hasta aquí, Charlie? –preguntó–. ¡No me digas que has continuado con tus increíbles aventuras, chico!

–Desde luego que sí –respondí.

Le conté rápidamente mis últimas correrías desde que nos habíamos separado en el desierto. Jakeman se quedó perplejo. Se sentó sobre su taburete de inventor y se secó el sudor de la frente con un pañuelo grasiento.

–¡Impresionante! –dijo–. ¡Completamente impresionante!

Entonces le conté lo que Craik estaba haciendo mientras se hacía pasar por la siniestra Sombra; le hablé de Tom, de Eliza y de Ma, y de nuestro plan.

–Vaya, vaya, no sabía que las cosas eran tan graves –dijo Jakeman–. Ya había deducido que Craik era una mala pieza, pero no sabía nada de los esclavos trogs. Tampoco sabía lo del rey y la reina, ni cuál era la situación de la gente. Tienes razón, debemos ayudarlos. ¡Oh, vaya un tonto he sido!

–¿Qué quieres decir? –pregunté.

–Cuando me arrastraron hasta el Mundo Subterráneo, me llevaron directamente a este bonito laboratorio. Craik se disculpó por haberme secuestrado, pero me dijo que se trataba de una cuestión de vida o muerte para la pobre gente de Subterránea.

»Él sabía que yo era un inventor famoso, y me pidió que le construyera una máquina especial, una máquina que fuera capaz de hacer el trabajo de mil mineros. Dijo que sus pobres trogs estaban agotados y quería darles un descanso. Se mostró muy adulador, y yo me tragué todas sus mentiras. Pero ahora ya no, Charlie; también quiero ayudar, ¡y creo que esta máquina es justo lo que necesitamos!

–¿Para qué nos va a servir? –pregunté.

–Piénsalo, Charlie –repuso, mientras volvía a ocuparse del montón de cables de la máquina–. ... Si tú y tus amigos vais a iniciar una batalla, imagínate lo que esta bestia podría hacer. ¡Tiene la fuerza de un tanque de guerra!

–¡Tienes razón! –grité–. Hará que los guardias se mueran de miedo. ¡Genial! Ya sabía yo que tú darías con una solución.

–No te precipites –dijo Jakeman–. Primero debemos saber que tu plan funciona. No podemos amotinarnos nosotros solos. Y, además,

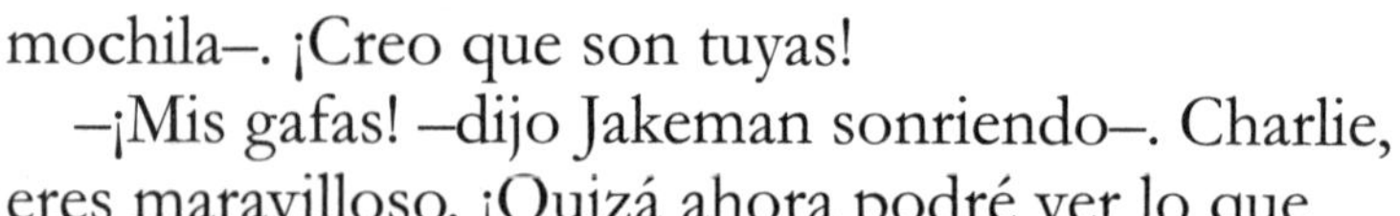

tengo que conseguir que esta mole de máquina funcione. Bueno, ¿este cable es rojo o marrón?

–¡Oh! –exclamé, rebuscando en mi mochila–. ¡Creo que son tuyas!

–¡Mis gafas! –dijo Jakeman sonriendo–. Charlie, eres maravilloso. ¡Quizá ahora podré ver lo que hago y hacer que esta máquina funcione!

Pensando

Mientras Jakeman trabaja en su topo mecánico, yo estoy escribiendo en mi diario para aclararme las ideas.

¿Hay alguna forma de salir de este laboratorio para ir a ayudar a Tom y a Eliza a llevar a cabo nuestro plan? He echado un vistazo por aquí y no hay ninguna rejilla de ventilación ni ningún pasadizo. ¿Podría usar mi cuchillo de cazador para excavar un agujero en el muro del laboratorio? ¿O acabaría dándome de bruces con Craik y al fondo del foso de fuego?

–Por supuesto, cuando llegue el momento, el topo podrá sacarnos del Mundo Subterráneo y llevarnos de nuevo a la luz del sol –dijo

Jakeman, dando unas palmaditas a su máquina con gesto de orgullo.

De repente, los extremos de los cables que tenía en la mano soltaron unos chispazos y Jakeman dio un salto.

Esto debe ser una patita peluda del bichito luminoso que el hombre-mono aplastó. ¡Uy! Pobrecito.

–¡Ooh! ¡Maldición, he recibido una descarga! –exclamó.

No pude evitar sonreír, porque el pelo le había quedado de punta, como la cresta de un gallo.

–¿Y eso nos va a ayudar? –le dije, riendo.

El topo

¡Genial!

–El topo es una perforadora que puede cortar la roca igual que un cuchillo corta la mantequilla –me dijo Jakeman–. Lo único que tenemos que hacer es ponerlo en marcha y abrirnos paso hacia arriba. Mira...

Desenganchó uno de los planos que tenía clavados en la pared y me lo dio. Esto es lo que había en él:

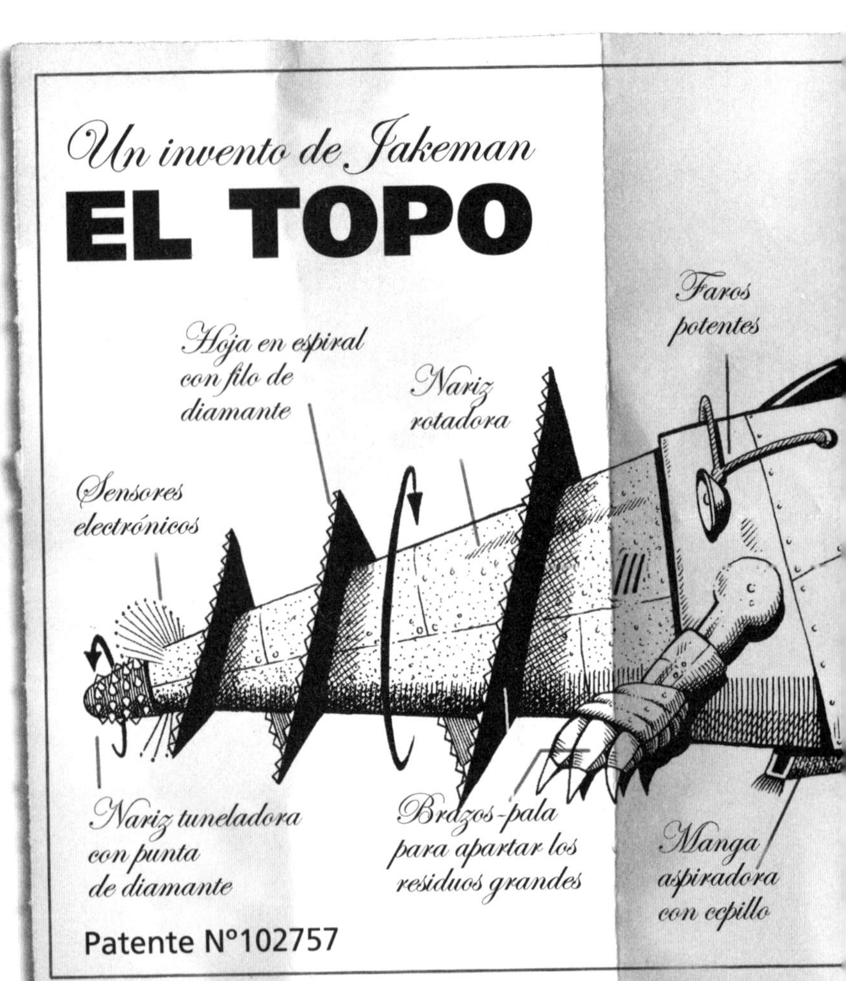
Un invento de Jakeman
EL TOPO
Faros potentes
Hoja en espiral con filo de diamante
Nariz rotadora
Sensores electrónicos
Nariz tuneladora con punta de diamante
Brazos-pala para apartar los residuos grandes
Manga aspiradora con cepillo
Patente Nº102757

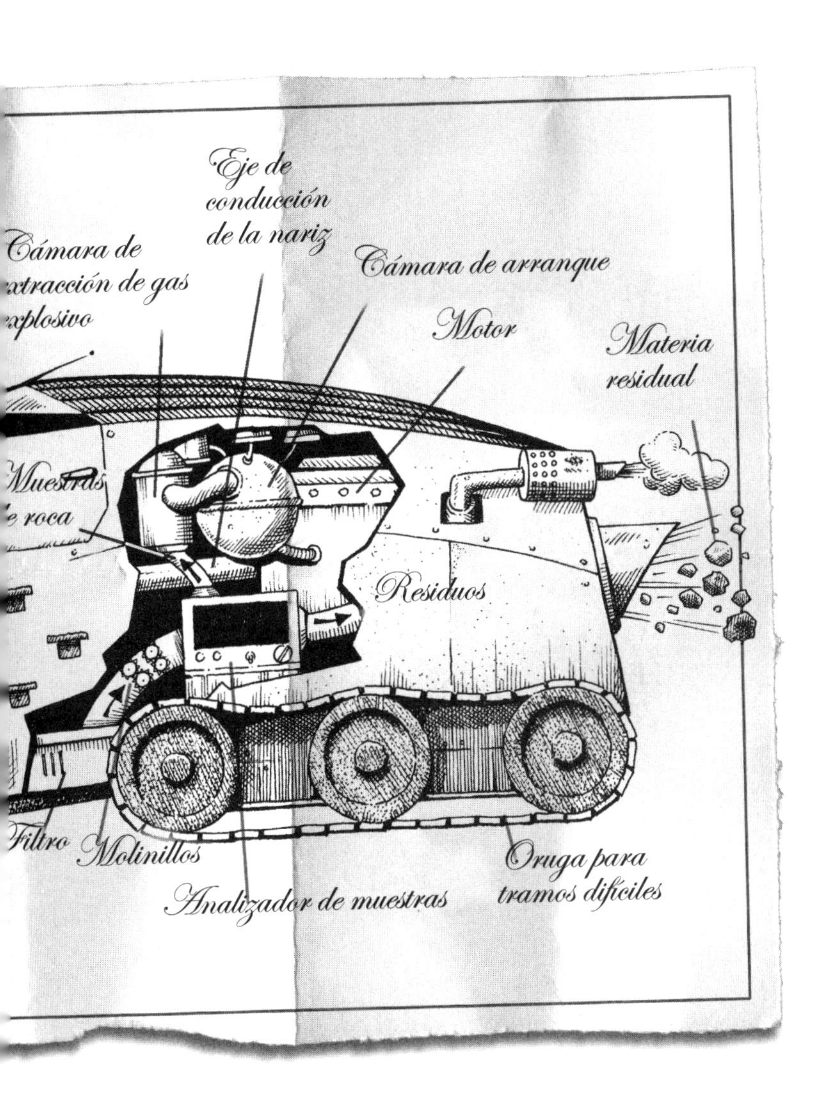

Eje de conducción de la nariz
Cámara de
xtracción de gas
xplosivo
Cámara de arranque
Motor
Materia residual
Muestras
e roca
Residuos
Filtro
Molinillos
Analizador de muestras
Oruga para tramos difíciles

Por fuera, el topo era impresionante: grande e impenetrable como un tanque del ejército. Pero al ver en el plano cómo funcionaba por dentro, me di cuenta de que Jakeman era un genio. El topo no solo podía excavar un túnel, sino que también recogía, analizaba y seleccionaba los minerales encontrados en la roca.

La nariz cónica, equipada con ese mortífero filo en espiral, vibraba con todos los sensores electrónicos; había cámaras destinadas a sacar los gases explosivos, y ordenadores para analizar los componentes químicos. Era una absoluta maravilla... ¡o lo sería, si funcionaba!

–¡Es fantástico! –dije–. Cuando hayamos acabado con Craik y sus secuaces, podremos abrirnos paso hasta la superficie. ¡Y entonces podré continuar mi viaje!

–¡Exacto! –exclamó Jakeman.

¡Justo en ese momento, oímos unos golpes en la puerta!

Tom regresa

Jakeman y yo nos giramos, sobresaltados y temerosos de que Craik o Bobo hubieran podido oír nuestra conversación. Pero ¡al otro lado de la ventanita de la puerta apareció el rostro sonriente y sucio de Tom Baldwin!

–¿Estás bien, Charlie? –preguntó–. Siento haber tardado tanto... Tuve que esconderme en nuestro pasadizo secreto mientras Craik estaba aquí. Cuando vi que se marchaba con ese sucio mono, los seguí para ver si conseguía alguna información útil.

–¿Has oído algo importante? –preguntó Jakeman.

–Desde luego que sí. Los seguí hasta la habitación de Craik y los oí confabular. La Som... perdón, quiero decir Craik, está desesperado por que su máquina se ponga en marcha, señor. Se da cuenta de que los esclavos están intranquilos y quiere terminar su trabajo antes de que todo acabe mal.

–Bien –repuso Jakeman–. Se están poniendo nerviosos. ¡Pues vamos a ver si conseguimos que las cosas vayan mal para ellos antes de lo que esperan! ¿Algo más?

–Oh, sí –dijo Tom, orgulloso de sí mismo–. Craik le dijo a Bobo que fuera a buscar algunos restos de comida para llevárselos a la reina mañana por la mañana.

–Eso sí es una noticia interesante –dijo Jakeman.

–¡Desde luego! Lo primero que haré mañana por la mañana será seguir a Craik y descubrir dónde tiene encerrada a la reina –dijo Tom.

–Buena idea. Si el rey sabe dónde se encuentra, quizá pueda organizar una operación de rescate.

–¿Y cómo lo va a hacer? –preguntó Tom, abatido–. Todas las personas que hay en el castillo trabajan para Craik, y hay dos trogs *enormes* vigilando la puerta de su habitación.

–Oh, vaya –suspiró Jakeman.

–No os preocupéis –dijo Tom, sonriendo–. Yo mismo rescataré a la reina.

Noticias para mí

–Bien dicho, Tom –exclamó Jakeman–. ¿Crees que podrás hacerlo?

–Lo intentaré –dijo Tom confiado–. Ah, y tengo otra noticia –añadió, mirándome con seriedad–. Oí que Craik le decía a ese enorme babuino de Bobo que te llevara a las minas mañana y que te hiciera trabajar el doble. ¡Dijo que eso te quitaría de enmedio! Y Bobo puso una cara que parecía que estuviera celebrando todos sus cumpleaños al mismo tiempo.

–¡Oh, eso sí que es fantástico! –gruñí.

–No, podría ser algo bueno, Charlie –dijo Jakeman, animado–. Si los trogs están listos para pelear, si Tom consigue liberar a la reina y si yo puedo hacer que el top funcione, ¡podríamos amotinarnos mañana mismo! Tú lucharías al lado de los trogs, Charlie; ¡quizá podrías ser tú quien lanzara el grito de batalla! Yo manejaría el topo, y lo haría avanzar directamente contra el enemigo. ¡No tendrán tiempo ni de saber qué les ha caído encima!

–El topo estará listo a tiempo, ¿verdad? –pregunté, mirando el enredo de cables que todavía colgaba de la máquina.

–Por supuesto –respondió Jakeman, aunque sin parecer muy seguro–. Pero para asegurarnos, será mejor que no me esperéis. Pero no os voy a decepcionar. Estaré allí, aunque tenga que empujar esta cosa con mis propias manos.

–¿Qué has querido decir con que soltara el grito de batalla? –pregunté.

–¡Que tú darás la señal, Charlie! ¡Cuando llegue el momento, tú darás la señal para que empiece la batalla!

–¿Y cómo voy a saber cuándo ha llegado el momento?

–No me quites el ojo de encima –dijo Tom–. Eliza y yo llevaremos a la gente de la ciudad hasta las minas y esperaremos dentro de uno de los túneles. En cuanto estemos listos, te haré un gesto con la cabeza. Vigila los túneles.

–De acuerdo –repuse. No parecía muy difícil–. ¿Y cuál será mi grito de batalla?

–¿Qué tal «¡Aplastemos a la Sombra!»? –sugirió Tom.

–¡Brillante! –exclamó Jakeman–. Dile a Eliza que avise a los trogs de que la señal la dará un chico de piel rosada cuando grite «¡Aplastemos a la Sombra!». Seguro que se acordarán.

–¡Perfecto! –dijo Tom–. Bueno, ahora tengo que irme, ya casi es la hora del toque de queda. ¡Deseadme suerte!

–Llévate esto, Tom –dije, pasando mi mochila entre los barrotes de la ventanita–. Está llena de herramientas útiles y no creo que me permitan llevármela a las minas. Buena suerte, compañero.

–Y buena suerte para vosotros –repuso Tom, mientras se colgaba la mochila a la espalda–. Volveré en cuanto tenga noticias de la reina.

Las aventuras de Tom Baldwin

Perdonad mi mala letra, no me sale muy bien. No fui mucho tiempo al colegio. Y perdonad todo el barro. Tengo las manos sucias, pero ¿qué se puede esperar cuando uno se pasa todo el tiempo en las alcantarillas?

Bueno, he encontrado esta libreta en la mochila de Charlie y él ha escrito todas sus aventuras aquí, así que he pensado añadir también las mías. ¡Buf! Esto de escribir cansa mucho. Ahora voy a tomar el té. Me he llevado un buen trozo de pastel de la cocina del castillo. ¡Buenísimo!

La reunión con Eliza

Bueno, después de dejar a Charlie y a su amigo con su extraña máquina, regresé sin problemas. Cuando entré en la casa, Eliza ya me estaba esperando, tal como habíamos quedado.

-¿Dónde está Charlie? -preguntó.

-La sombra lo ha hecho prisionero -le dije-. Pero no te preocupes. El amigo de Charlie tiene una máquina enorme y nos va a ayudar. Escúchame bien...

Les conté a Ma y a Eliza que la reina estaba prisionera, que la Sombra era un viejo enemigo de Charlie y que Charlie iba a lanzar el grito de batalla.

-Entonces será mejor que vaya a decírselo a los trogs esclavos -dijo Eliza.

-Ten cuidado, querida -dijo Ma-. No me gusta que estés fuera después del toque de queda.

-No me pasará nada malo -repuso Eliza.

-Vendrás conmigo mañana, ¿verdad, Eliza? -pregunté-. Ya sabes, para rescatar a la reina y todo eso.

-Claro que sí, tonto -respondió, riendo-. No pienses que permitiré que te diviertas tú solo.

Nos encontraremos en las llanuras fangosas, a las seis en punto.

Entonces Eliza salió por la puerta trasera y desapareció en las sombras del callejón.

De regreso en el castillo

A primera hora de la mañana siguiente llegué a las llanuras fangosas, y Eliza ya me estaba esperando.

-¿Lista? -pregunté.

-Desde luego.

-Pongámonos en marcha, pues -dije, y los dos nos agachamos para entrar en la alcantarilla principal-. ¿Conseguiste ver a los trogs esclavos ayer por la noche? -pregunté.

-Sí, y están muy animados -repuso Eliza, riendo con malicia-. En cuanto oigan el grito de batalla de Charlie, ¡saldrán a toda pastilla! Y les he contado lo del topo de Jakeman, y les he dicho que no le tengan miedo.

Eliza y yo llegamos al interior del castillo y avanzamos por el pasillo hasta la habitación de Craik. Pero mientras nos acercábamos, ¡vimos que el pomo de la puerta empezaba a girar! ¡Caray! ¡Creí que estábamos perdidos, pero Eliza me empujó por la puerta de la habitación de al lado!

-¿Estás listo, Bobo? -oímos que decía Craik.

-¡Bien! Vamos a llevarle la comida a la reina. Y prepárate para tener otro encuentro feroz: ella es más atrevida que su patético rey, eso está claro.

¡Genial, habíamos llegado justo a tiempo!

-Vamos, Lize -susurré.

-Echemos un vistazo aquí primero -me dijo Eliza, empujando la puerta de la habitación de Craik.

La seguí rápidamente. La habitación estaba casi vacía: solamente había una cama y un gran armario de cajones... ¡y un horrible lazo de horca en una de las esquinas!

-Date prisa, Lize -le dije-, o les vamos a perder la pista.

-Es un segundo -repuso Eliza, sin dejar de rebuscar en la habitación, abriendo los cajones y mirando bajo la cama.

-¿Qué estás haciendo? -pregunté.

Me empezaba a poner nervioso de tanto esperar.

-Estoy buscando algo que pueda ser útil -dijo Eliza mientras metía la mano bajo las almohadas-. Ajá. ¿Qué es esto? -dijo, sacando un manojo de llaves oxidadas-. Deben de ser importantes, si las guarda aquí -añadió, y se las guardó en el bolsillo-. ¡Vamos, o ahora sí que les perderemos la pista!

-Eso es lo que yo... -empecé a decir, pero Eliza ya había salido de la habitación.

Salí junto a ella y los dos corrimos por el pasillo tras esa horrible pareja, vigilando todo el rato por si nos encontrábamos con los guardias. Les dimos alcance muy pronto. Al verlos, nos acercamos muy despacio y en silencio, como ratoncillos. Bajamos escaleras, cruzamos salas vacías, atravesamos patios y, al final, cruzamos una puerta. Salimos a un camino de piedra que subía por encima de la ciudad; lo seguimos hasta que llegamos a una enorme grieta que se abría en la pared de la roca.

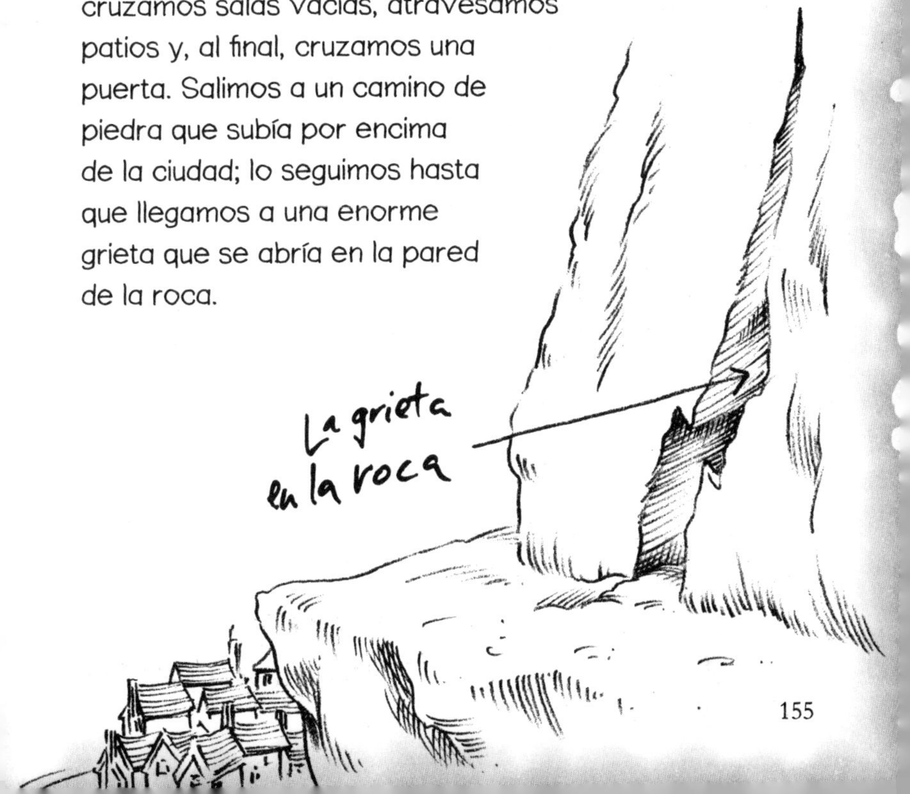

La prisión

Entramos en la grieta y los seguimos unos cien metros más, hasta unos pesados barrotes que había al final del pasaje. Allí, en un espacio pequeño, se encontraba la reina. Eliza y yo nos agachamos detrás de una roca grande y observamos.

-¡Sácame de aquí, hombrecillo despreciable! -gritó la reina.

-Cálmate, señora -dijo Craik, sonriendo-. No hace falta que te salgas de tus casillas.

-¿Cómo te atreves a hablarme así? Soy la reina. Sácame de aquí, ¡te lo ordeno!

-En cuanto hayamos terminado nuestro trabajo, Majestad -repuso Craik-. Pero entonces ya no tendrás un hogar al que regresar, me temo. Sólo encontrarás un marido tembloroso, una ciudad de pillos muertos de hambre y una tierra sumida en la oscuridad. A pesar de todo, no hay nada como estar en casa, ¿no es así,

La reina.

Majestad? Mientras tanto, aquí tienes tu comida. Bobo, ten la amabilidad.

Bobo abrió la tapa del balde que llevaba y sacó unos trozos de pan rancio y los lanzó por entre los barrotes.

-Hasta mañana a la hora de comer, señora -rio Craik-. ¡Ja, ja, ja, ja!

Se dio media vuelta y, acompañado por los chillidos de su malvado mono, pasó por delante de nuestro escondite y salió de la gran caverna. En cuanto hubieron salido, la reina se dejó caer en el suelo y empezó a llorar. Verla era tan triste que yo también me puse a llorar.

-¡Oh, vaya! -susurró Eliza.

La reina

-¿Quién está lloriqueando? -preguntó la reina de repente-. Sal de ahí, seas quien seas. Vamos, sal.

Eliza y yo salimos de detrás de la roca.

-¿Y vosotros quiénes sois? -preguntó.

-Perdone, Majestad. Yo soy Tom y ella es Eliza. Hemos venido a rescatarla.

-Oh, qué maravilloso chico sucio y qué espléndida niñita. ¡Es fantástico!

Pero la puerta estaba cerrada con un enorme candado. ¡Caramba, parecía realmente resistente!

-Majestad -dije-, el problema es que no sabemos cómo hacerlo. -Miré a Eliza-. ¿Alguna idea?

-¿Y si probamos con alguna de estas? -respondió ella con una sonrisa, sacándose el manojo de llaves oxidadas del bolsillo.

Eliza probó las llaves en el candado, una tras otra, e intentó abrir con todas ellas. Sin embargo, no pasaba nada. Pero al fin, con un fuerte chirrido, la última llave giró y la puerta de barrotes se abrió.

-Ya dije que esto era importante -dijo Eliza, orgullosa de sí misma.

-Sois unos niños fantásticos -dijo la reina-. Sois unos héroes, los dos, y...

-Deprisa, Majestad -la interrumpí, empezando a caminar hacia la salida-. Síganos.

De regreso al castillo

Mientras guiábamos a la reina por el camino de piedra que conducía al castillo, le conté nuestros planes de amotinamiento contra Craik *la Sombra* y su banda de guardias. Se puso muy contenta y prometió que haría todo lo posible para ayudarnos.

-Tengo que hablar con mi esposo de esto -dijo-. No os preocupéis; si podéis llevarme hasta la sala del Trono, conozco un lugar perfecto para esconderme de Craik.

Durante el camino tuvimos que ocultarnos dos veces en que nos cruzamos con unos guardias que conducían a un grupo de trogs esclavos hacia las minas, pero conseguimos llegar sanos y salvos al castillo.

Una vez dentro, recorrimos los pasillos sin hacer ruido, atentos a cualquier sonido que pudiera indicar algún peligro. Tan pronto como encontramos la primera rejilla de ventilación, la abrí (era la misma que había utilizado en otra ocasión) y Eliza y yo condujimos a la reina por los pasadizos secretos.

–Vaya, vaya –exclamó la reina–. Sois muy listos. ¡No tenía ni idea de que existían!

Enseguida llegamos a la rejilla de la sala del Trono, ¡y no pude evitar que la reina empezara a gritar de alegría!

La realeza reunida

–Por favor, intente hablar en voz baja, Majestad, o los guardias nos oirán –susurré.

–¡Herbert! –llamó la reina en voz baja–. ¡Herbert, estoy aquí!

El rey dio un respingo en el trono y miró a su alrededor.

–Hermine, ¿eres tú?

–No se preocupe, señor –dije–. Por favor, no grite. Enseguida se la traemos.

Saqué la daga de la mochila de Charlie y empecé a excavar en el yeso que rodeaba la rejilla, sin dejar de prestar atención por si oía a los guardias en el otro lado. Al cabo de poco tiempo la rejilla empezó a ceder y, con un golpe final que le dio Eliza, cayó al suelo con un fuerte sonido seco.

Todos contuvimos el aliento. El corazón me latía con fuerza. Pero, por suerte, no apareció nadie por la puerta.

–Gracias, niños –dijo la reina en cuanto entramos en la sala del Trono–. Nunca olvidaré lo que habéis hecho.

–Sí, gracias, gracias. Seáis quienes seáis –susurró el rey.

–No deje que Craik la encuentre, señora –le dije en voz baja.

–No te preocupes. Hay un lugar secreto debajo de la puerta de la sala del Trono. Un escondite. La Sombra no sabe que existe. No me encontraría nunca en la vida.

–¡Y no olvide contarle al rey lo del motín!

El rey y la reina se abrazaron con una exclamación de alegría. No sé qué pasó después, porque Eliza y yo ya corríamos por los pasadizos secretos en busca de Charlie y su amigo Jakeman. Mientras cruzábamos el vestíbulo principal miré hacia arriba para ver si había guardias. ¿Os lo podéis creer? ¡Estaban completamente dormidos! ¡Ésa fue la recompensa por no hacer ruido!

Tom regresa

Ahora es Charlie quien escribe, ¡otra vez!

Me alegré mucho cuando Eliza y Tom llegaron a la puerta del laboratorio, pero no teníamos mucho tiempo para charlar. Yo estaba esperando a que Craik apareciera de un momento a otro y me llevara a las minas.

Eliza y Tom sacaron la cabeza por entre los barrotes de la ventanita de la puerta y ¡nos contaron cómo habían conseguido rescatar a la reina!

–¡Eso es genial! –dije–. Ahora el rey puede unirse al motín.

–Claro que sí –asintió Tom–. Les contamos todo lo referente a él.

–¡Entonces, hagámoslo hoy mismo! –dijo Jakeman–. Ayer por la noche terminé el topo, así que todo está listo.

–Será mejor que vuelva a casa y me asegure de que Ma ha reunido a toda la gente de la ciudad –dijo Tom–. Luego los llevaré a la mina para la batalla.

–¿Y qué hay de los esclavos trogs? –dijo Jakeman.

–Seguramente podré hablar con ellos mientras hacen el cambio de turno –repuso Eliza–. Luego volveré y me uniré a Tom y a Ma.

–¡Genial! –dije–. Será mejor que os vayáis. ¡Supongo que no querréis estar aquí cuando Craik y Bobo aparezcan!

Yo empezaba a estar muy preocupado. Nunca me había amotinado, y no sabía qué iba a pasar. Pero ahora no me podía echar atrás, ni siquiera aunque el estómago me doliera del miedo.

–¡Hasta pronto! –dijo Eliza.

Y los dos se alejaron a toda prisa por el pasillo hacia la escalera de caracol. Cuando se hubieron marchado, me di cuenta de que Tom todavía tenía mi equipo de explorador. ¡Maldición! Pero no importaba, seguro que Craik tampoco me hubiera dejado llevarlo a las minas. ¡Esperaba no necesitarlo!

Al cabo de un minuto oí que Craik y Bobo se acercaban. Qué suerte: mis amigos se habían marchado justo a tiempo.

–Deprisa, métete esto en el bolsillo, Charlie –dijo Jakeman, dándome un sobre de color marrón–. Si no llego a reunirme contigo, o si nos separamos, ábrelo. Dentro encontrarás la dirección de mi fábrica. Nos encontraremos allí.

Hacia las minas

De repente, la puerta se abrió y los dos villanos entraron.

–Tú –dijo Craik, cogiéndome por el hombro–. Vas a venir con nosotros.

–Vale. No hace falta empujar –repuse.
–¿Está lista la máquina? –peguntó Craik.
–Bueno... no lo estará hasta mañana –respondió Jakeman, tartamudeando–. Mañana estará completamente lista.
–Será mejor que lo esté –gruñó Craik.
Entonces Craik volvió a ponerse su disfraz de la Sombra y me sacó del laboratorio. Subimos por las escaleras de caracol con Bobo pisándonos los talones.
¡Iba de camino a las minas!

Craik es un horrible bicharraco.

Trabajando en las minas de luz

Craik se quedó en el castillo, y Bobo me hizo continuar adelante, subiendo por la roca y atravesando pasajes. Al cabo de una larga y agotadora caminata, llegamos a una enorme caverna, igual a la que había visto trabajar a los trogloditas al principio de todo.
Allí también había innumerables trogs trabajando, cavando en la roca de la caverna y llevándose los trozos de piedra en carretillas. Unos guardias trogs vigilaban a los mineros y, cada vez que alguno de ellos mostraba el menor cansancio, hacían restallar sus látigos.

Me pusieron a trabajar con un pico, al lado de un enorme troglodita. En cuanto me vio, emitió un gruñido de sorpresa. Eliza había dicho a los trogs que buscaran a un niño de piel rosada, ¡así que él sabía que la revolución estaba a punto de comenzar!

Miré hacia las bocas de los túneles. Había como media docena –una muy grande y las otras, más pequeñas–, pero no vi ni rastro de Tom en ninguna parte. Ni siquiera sabía por cuál de ellas aparecería. Tendría que mantener los ojos muy abiertos.

De repente oí un chillido agudo. Era Bobo.

–A trabajar, esclavo –bramó en el idioma de los gorilas, y me dio un mordisco en el tobillo con sus enormes colmillos amarillos–. Ponte a trabajar o haré que los guardias descarguen el látigo sobre ti.

Odio a Bobo. ¡De verdad!

Levanté el pesado pico por encima de mi cabeza y lo hice caer con fuerza sobre una de las rocas.

–¡Uuf! –exclamé al notar la vibración del pico, que me sacudió todo el cuerpo.

–¡Yark! –chilló Bobo, encantada.

Volví a levantar el pico una vez... y otra... y pronto tuve las manos llenas de dolorosas ampollas.

–Trabaja más duro, esclavo –gritó Bobo.

–Vete a tomar viento –repliqué en el idioma de los gorilas.

Bobo soltó unas risotadas y empezó a gritar y a correr en círculos por la caverna.

–*Man-cha* –gruñó mi enorme compañero, mirando a Bobo y pasándose el dedo índice por la garganta.

–Sí –asentí–. Bobo es un mono malo.

–*¿Man-cha?* –preguntó el esclavo trog, señalándome y mirándome con una expresión inquisitiva en su rostro, grande como una losa.

–Lo siento, no comprendo.

–*¿Man-cha?* –preguntó, señalándome otra vez.

Oh, vaya, esto no iba a ser nada fácil. ¿Cómo va uno a comenzar una revolución si no puede comprender a sus aliados? Pero entonces me di cuenta de qué era lo que ese gigantesco trog me estaba preguntando.

–Me llamo Charlie –dije–. Soy Charlie Small.

Sus ojos grandes brillaron al comprender.

–*Char-cha* –gruñó.

–Sí, exacto. Charlie –sonreí.

–Manotas –dijo el trog, señalándose el pecho.

Este es uno de los horribles látigos de los guardias trogs.

–Encantado de conocerte, Manotas –dije, ofreciéndole la mano, pero justo entonces Manotas recibió un latigazo en la espalda y él se dio la vuelta, rabioso.

Un descomunal guardia trog estaba de pie detrás de él.

–*¡MAN-CHA!* –bramó.

Los dos volvimos a ponernos a trabajar de inmediato. Manotas levantó el pico sobre su cabeza con un gruñido y lo descargó con fuerza sobre una enrome roca, haciéndola añicos.

Tan pronto como el guardia se hubo alejado, miré disimuladamente hacia las bocas de los túneles, pero todavía no había ni rastro de Tom. Entonces me di cuenta de que Manotas estaba diciéndole algo al trog que tenía a su izquierda.

–*Man-cha man-cha, man-cha Char-cha* –decía, mientras hacía un gesto con la cabeza hacia mí.

El bueno de Manotas estaba pasando la noticia de mi presencia a todos sus amigos, diciéndoles que el chico de piel rosada ya estaba allí y que se prepararan. ¡Por lo menos, eso es lo que creo que decía! Pero ¿dónde estaba Tom? ¿Dónde estaban Jakeman y Eliza? «Daos prisa –pensé–. No puedo continuar picando piedra para siempre.»

Las cosas se ponen en marcha

Piqué piedra, la cargué y sudé hasta que me dolió la espalda y sentí que los brazos se me hacían de goma. Y todavía no había ni rastro de mis amigos.

Entonces, por el rabillo del ojo, percibí un poco de movimiento en una de las pequeñas bocas de túnel. El corazón me dio un vuelco. ¡Tenía que ser Tom! Pero no lo era: el corazón se me cayó al suelo al ver la monstruosa figura enmascarada de Craik que entraba en la mina.

Craik fue hasta donde estaba Bobo y empezó a gritar y a gesticular mientras caminaba de un lado a otro. Bobo enseñaba los colmillos con una mueca horrible y me miraba con ojos penetrantes. Fingí no darme cuenta de nada y continué picando el pequeño montón de piedras que tenía delante, pero pronto sentí que Craik me cogía por los hombros y me sacudía con fuerza.

–Vale, apestosa alimaña, ¿dónde está? –bramó.

–¿Dónde está quién? –pregunté, completamente desconcertado.

–La reina, idiota. ¿A dónde la has llevado? Dímelo o averiguarás lo desagradable que puedo llegar a ser.

¡Así que se trataba de eso! Craik acababa de descubrir que la reina había escapado. Uau, esto iba a ser difícil.

–No sé de qué estás hablando –repuse–. Ni siquiera sabía que existía una reina. Y, además, he estado encerrado todo el tiempo.

–¡No me salgas con esas, gusano! –gritó Craik, levantándome del suelo.

Cuando lo hizo, oí que Manotas soltaba un gruñido.

–¡Yaaaark! –chilló Bobo, enseñándole los colmillos en señal de advertencia.

–Sé que has tenido algo que ver al respecto –continuó Craik, acercando su máscara de metal a mi rostro y clavándome sus fríos ojos–. Todo iba bien hasta que tú apareciste. No permitiré que vuelvas a entrometerte en mis planes, así que dime, ¿dónde está?

Volvió a sacudirme con fuerza y me tiró al suelo. Manotas dio un paso hacia mi atacante, pero, de inmediato, dos guardias lo sujetaron por los brazos.

–Así que te atreves a desafiarme, ¿eh? –siseó Craik dirigiéndose al esclavo trog, que se debatía bajo la sujeción de los guardias–. Llevadlo al foso. *Man-cha, man-cha*, ¡FOSO! Que todo el mundo vea que no se me puede desafiar.

Los dos guardias sonrieron y empezaron a llevarse a Manotas a rastras.

–¡Déjalo en paz, cerdo! –grité.

En ese momento, varios de los esclavos ya habían dejado de trabajar y nos miraban sin saber qué hacer.

–¡Basta! –bramó Craik–. Ya he aguantado bastantes tonterías. Bobo, ve a buscar mi horca portátil. Vamos a dar un ejemplo con este metomentodo.

–¡Oh, yuppiii! –chilló Bobo, encantada.

¡Glups!

Pero en cuanto Bobo se hubo alejado, oí un agudo silbido. ¡Era Tom!

–¡Aplastemos a la Sombra! –grité...

¡Y entonces empezó todo!

¡LA GUERRA TOTAL!

Mientras los esclavos trogs se disponían a enfrentarse a sus odiados guardias, una multitud de subterráneos entró en la mina procedente del túnel principal. Un grupo de carroñeros seguía a la gente de la ciudad. ¡A la cabeza de todos se encontraban el rey y la reina!

Tom se colocó ante la boca del túnel y empezó a gritar animando a la gente. Eliza, Ma y mil subterráneos siguieron al rey y a la reina y penetraron en la enorme caverna de la mina.

–¡Yuujuuu! –gritó Tom, uniéndose a la multitud.

–¿Qué está pasando? –vociferó Craik–.

Guardias, detened esta plaga. *Man-cha, man-cha.* Detenedlos, os lo ordeno.

Pero los guardias estaban demasiado ocupados. Los esclavos trogs se estaban enfrentando a ellos: caminaban despacio y cantaban:

–*Man-cha, man-cha, man-cha.*

Los guardias intentaron hacer retroceder a los esclavos con los látigos y las porras, y por un momento creí que lo iban a conseguir. Pero ¡no!

Manotas soltó un furioso bramido y se zafó de sus captores. Se golpeó el pecho con fuerza y, con un movimiento rápido, agarró a dos guardias y les hizo chocar las cabezas. Los guardias cayeron al suelo, aturdidos, y los esclavos cargaron contra el resto de guardias.

Muy pronto se armó una batalla campal. Por todas partes había esclavos trogs peleando con guardias trogs. ¡Pam! ¡Zas! ¡Crunch! ¡Crash! Los trogloditas se aporreaban y se zurraban los unos a los otros, pero ¡tenían la cabeza tan dura que casi no notaban nada!

–¡A por ellos! –gritó el rey.

–Uno para todos y todos para uno –vociferó Ma.

Entonces Ma, Tom y Eliza, con el resto de la gente de la ciudad, se unieron a la batalla. ¡Se armó la de San Quintín!

El rey desenvainó una pequeña espada de madera y bramó, empezando a correr:

–¡A la carga!

Pero se pisó la punta de sus leotardos, que le iban un poco grandes, se dio de cabeza contra la rodilla de un troglodita y se quedó k.o.

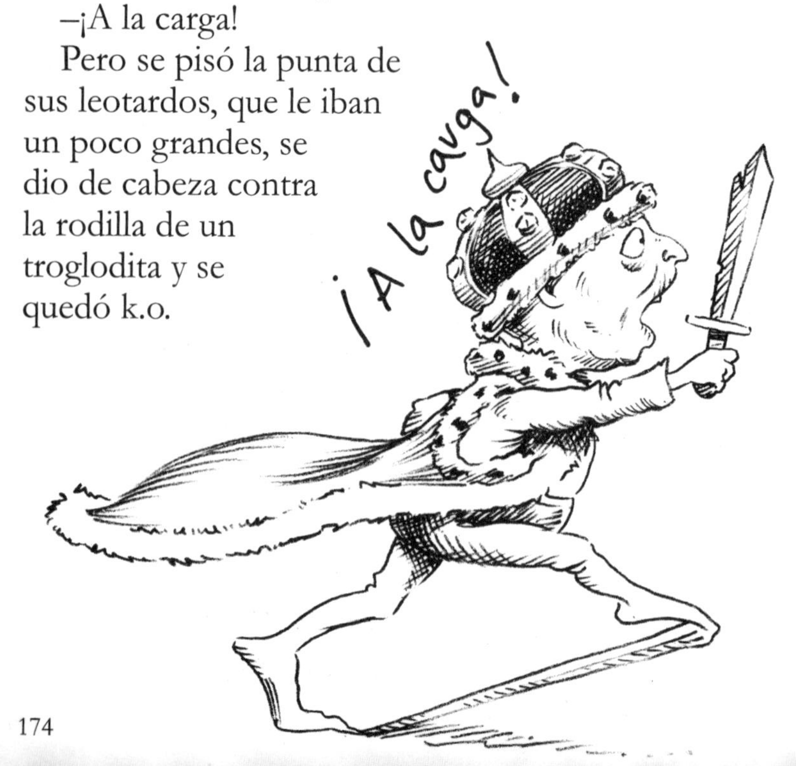

Oh, vaya. Pero, por lo menos, lo había intentado. Incluso la reina se puso manos a la obra.

–¡Aah-aah-aah-aah-aa! –grité, lanzándome contra las piernas de Craik y tumbándolo al suelo con una entrada de rugby. La horrible máscara se le cayó de la cara.

–¡Mirad! –gritó un subterráneo–. La Sombra no es un robot. ¡No tiene nada de especial en absoluto!

–¿Os lo podéis creer? ¡Es solamente un extranjero! –vociferó otro.

–Mirad todos. ¡Mirad a la temible Sombra ahora!

–Maldición –soltó Craik.

Cogió la máscara del suelo y volvió a ponérsela, pero sabía que todos conocían la verdad. Los subterráneos ya no tendrían miedo de él nunca más.

Craik, que todavía estaba tumbado en el suelo, me dio un empujón con los pies y rodó por el suelo de la caverna.

–Vamos, Bobo. El juego ha terminado. Tenemos que salir de aquí –gritó.

Pero Bobo, soltando un desgarrador chillido, se abalanzó sobre mi espalda en un furioso ataque de rabia.

–¡Uuf! ¡Sal de ahí, felpudo apolillado!

¡Ayudadme a quitarme de encima esta payasa babuina!

¿Esto es el final?

Bobo era mucho más pequeña que un troglodita, pero igual de fuerte y dos veces más cruel. Se colgó de mi espalda con fuerza mientras yo giraba el torso furiosamente para quitármela de encima.

La golpeé con los codos, pero creo que ni siquiera notó los golpes. Me sujetó por un hombro y me tumbó de espaldas en el suelo. Rápidamente se puso encima de mí y me encontré con su cara pegada a la mía. Me miraba con una horrible mueca, enseñando los dientes.

–¡Acaba con él, Bobo! –gritó Craik, mientras se ponía en pie con gesto inseguro–. Acaba con él ahora mismo. ¡Es hora de irse!

–Ahora, sin tu machete, no eres tan valiente, ¿verdad, chico? –me dijo Bobo en el idioma de los gorilas–. ¡No te muestras tan altivo y engreído, ahora que no tienes a la capitana Cortagargantas que te proteja!

Cuando ya se disponía a infligirme una herida

mortal clavándome los incisivos, me encogí, esperando sentir la mordedura en el cuello de un momento a otro. Todo estaba a punto de terminar...

Pero de pronto, se oyó un poderoso estruendo y el suelo empezó a temblar. Todo el mundo se quedó paralizado, mirando hacia el lugar de donde procedía el sonido. ¿Qué demonios estaba sucediendo? Y de repente, uno de los muros de roca estalló y se desintegró, y la enorme nariz giratoria de la imponente máquina de Jakeman, con su hoja de diamante en espiral, apareció por ella.

Jakeman al rescate

Vi que mi amigo manejaba los controles frenéticamente, tirando de palancas y girando válvulas.

Los guardias trogs parecían haberse quedado petrificados, pero Eliza ya había avisado a los esclavos de que vendría una enorme máquina, así que soltaron unos fuertes gritos de alegría al verla. De repente se oyó, por encima del estruendo de la máquina, una voz por un megáfono.

–¡Corred! –tronó la voz de Jakeman mientras la máquina se dirigía directamente hacia los guardias trogs–. Ya os habéis divertido, ¡ahora largaos!

Los guardias, aterrorizados, empezaron a coger rocas y piedras del suelo y a lanzarlas contra la máquina que avanzaba en su dirección. Pero los misiles rebotaban contra ella y no impedían su avance. Entonces, los asustados guardias dejaron caer sus armas y levantaron las manos en alto, en un gesto de rendición. Los mineros se golpearon el pecho, celebrando la victoria.

–¡Cuidado! –gritó Tom, al ver que un grupo de retuercepescuezos llegaba corriendo para ayudar a su jefe–. ¡Tienen refuerzos!

Pero los retuercepescuezos, al ver el gigantesco topo mecánico, ¡dieron media vuelta y huyeron!

¡¡Por poco!!

Entonces el topo giró y empezó a avanzar directamente hacia mí y Bobo.

–¡Vamos, Bobo! –gritó Craik–. El juego ha terminado. ¡Trae al chico y salgamos de aquí!

Bobo soltó un siseo de enojo, pero empezó a arrastrarme, tirándome del pelo, hacia donde se encontraba Craik.

–¡Aaauuuu! –grité–. ¡Cuidado, acaba de crecerme!

A todo esto, el topo continuaba avanzando hacia nosotros y cada vez estaba más cerca... y más cerca. ¡Uf! ¡Parecía que mi única elección era o bien ser raptado por Craik o bien ser aplastado por el topo!

Entonces, justo cuando ya teníamos la máquina encima, Manotas se abalanzó contra Bobo, lo agarró por el pescuezo y lo lanzó por los aires en dirección a Craik. Yo rodé por el suelo a tiempo de escapar de la oruga del topo mecánico, que ya casi estaba sobre mí.

–¡Cuidado! Ha ido por poco –le grité a Jakeman cuando la máquina pasó por mi lado, pero él no oyó ni una palabra. Me miró sonriendo y levantó el puño cerrado con el pulgar erguido.

¡Adiós Craik, y adiós Jakeman! ¡Oh no!

Justo mientras Craik y Bobo llegaban a la boca de uno de los túneles, Jakeman habló. Agitaba un puño y gritaba, pero el topo hacía tanto ruido que no pude oír ni una palabra de lo que dijo.

De repente, con un zumbido agudo que rompía los tímpanos, la máquina dio media vuelta y lanzó una ráfaga de piedras por el aire. Se oyó un potente bombazo y un gran dardo metálico salió disparado de una pequeña apertura que había en la parte frontal del topo mecánico y pasó zumbando sobre nuestras cabezas.

Nos quedamos todos sin habla, observando el proyectil, que atravesó la mina volando y se incrustó en la roca, justo encima de la cabeza de Craik.

–¡Has fallado! –gritó Craik.

Pero había hablado demasiado pronto, porque en ese momento empezó a formarse una grieta en la roca a partir del agujero que había hecho el dardo. La grieta se hizo más y más grande, y otras pequeñas grietas recorrieron la pared entera hasta que, con un estruendo, el túnel empezó a derrumbarse.

–¡Aaarg! –gritaron Craik y Bobo al unísono.

Y empezaron a correr por el túnel en medio de una lluvia de piedras y de rocas. Al cabo de unos segundos, el túnel había desaparecido tras una montaña de escombros.

–*¡Man-cha!* –gritaron con alegría los mineros trogs.

–¡Hurra! –gritó la gente de la ciudad, con el rey y la reina–. ¡Nos hemos librado de esa basura!

Entonces oímos un chirrido metálico y el topo mecánico empezó a avanzar de nuevo. Jakeman contemplaba los controles, confundido. ¡Había perdido el control de la máquina! El topo empezó a dar saltos de canguro y se dirigió directamente a la pared de la mina. Vi que Jakeman tiraba de las palancas y giraba las válvulas, pero no servía de nada. Me miró desde la ventanilla y se encogió de hombros.

–¡Espérame! –grité.

Pero la máquina no se detenía. La nariz del topo empezó a perforar la piedra.

–¿Qué estás haciendo? –bramé.

Entonces Jakeman gritó por los altavoces:

–Charlie, no puedo pararlo. El motor no se apaga y el pedal del freno se ha encallado. Lo monté cuando no tenía las gafas. ¡Lo siento!

–Creí que lo habías arreglado –le dije–. ¡Vaya invento el tuyo!

Pero, por supuesto, no me oyó.

Mientras el topo continuaba perforando la pared de la caverna, salté hacia la máquina y me agarré a la manecilla de la puerta. ¡Oh, no! La puerta no se abría, y el topo ya había penetrado mucho en la roca.

Mientras la máquina continuaba perforando, me solté para que no me aplastara. Estupefacto, observé sin poder hacer nada cómo el topo penetraba en la pared hasta los faros. Jakeman se encogió de hombros, me dijo adiós con la mano, y esa fue la última vez que lo vi.

¡¡¡Regresa!!!

–Abre el sobre –oí que decía por el altavoz, a lo lejos–. ¡Abre el sobre!

Mientras el topo se introducía en su madriguera, una gran lata de metal se desprendió de uno de sus costados, cayó al suelo y llegó rodando hasta mis pies.

–¡Aaarg! –grité, dándole una patada de frustración–. ¡Jakeman, regresa!

Pero la máquina continuó avanzando. Mientras desaparecía de nuestra vista, las paredes del túnel que había excavado empezaron a derrumbarse y cayeron detrás de ella. Ahora ya no podía seguirlo de ninguna manera: entre el topo y yo había una impenetrable montaña de rocas.

No me lo podía creer: Jakeman se había ido, y recordé que había olvidado hacerle la GRAN pregunta para la cual solamente él tenía respuesta. ¡Todavía no sabía cómo regresar a casa!

¿Y ahora qué?

El sobre de Jakeman

Los trogs, ahora libres, y la gente de la ciudad bailaban celebrando la victoria.

Tom, Eliza y Ma vinieron hasta donde yo me encontraba. Se daban cuenta de que estaba preocupado por haber perdido a Jakeman otra vez.

–No te preocupes, te ayudaremos a encontrarlo –dijo Tom, devolviéndome mi mochila–. Pero ¿qué quería decir con eso del sobre?

Saqué el sobre del bolsillo y lo abrí.

–Me dijo que lo abriera en caso de que nos separáramos –respondí.

Dentro había un mapa con el título «Cómo encontrar el camino de la fábrica de Jakeman». Debajo, se leía:

Creo que puedo llevarte de regreso a casa, así que ven a mi fábrica y nos encontraremos allí. Ten cuidado, es un viaje largo y peligroso. Buena suerte y nos vemos pronto.

De tu amigo,
William Jakeman, inventor

Este es el mapa que me dio:

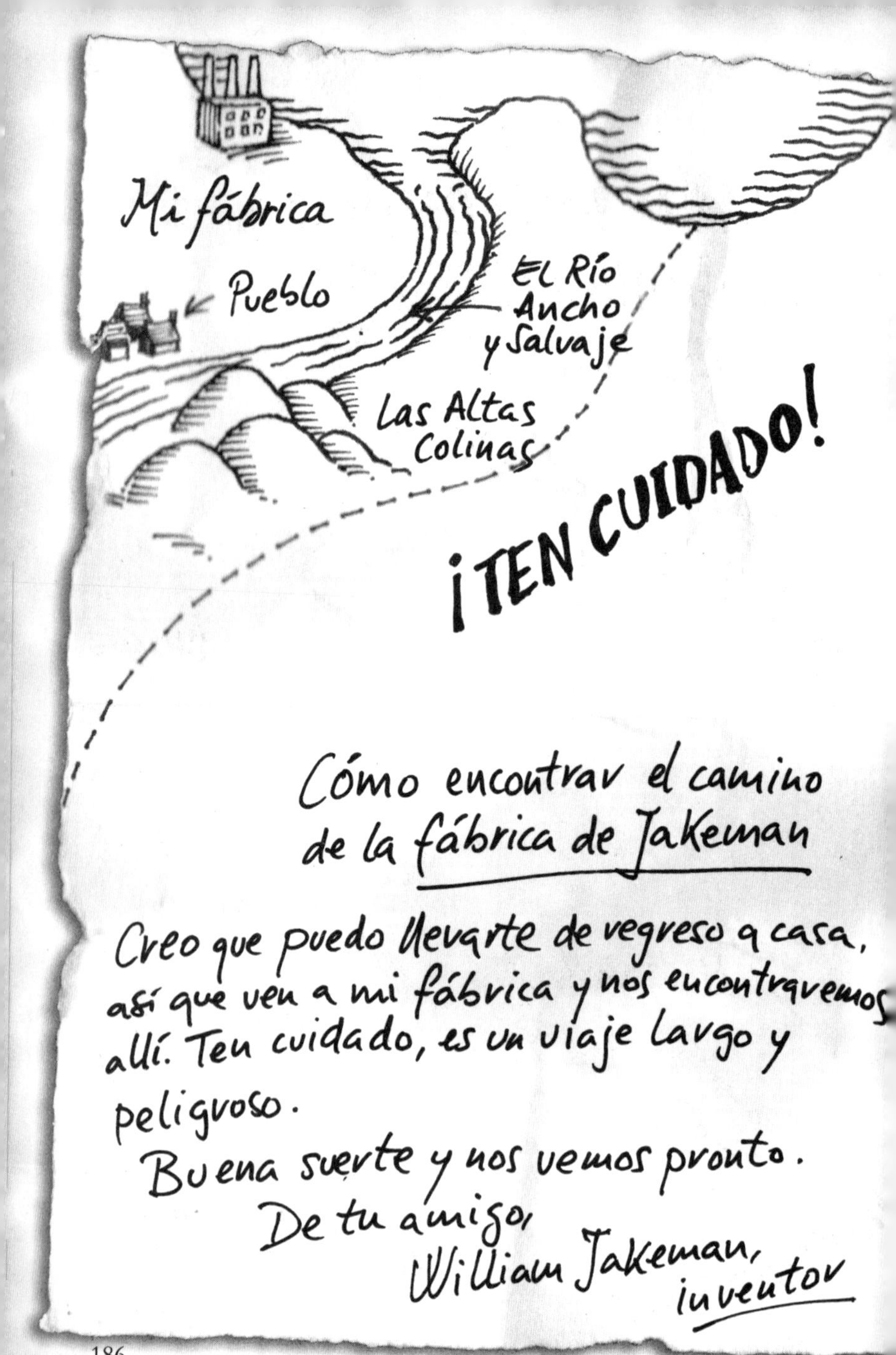

Cómo encontrar el camino de la fábrica de Jakeman

Creo que puedo llevarte de regreso a casa, así que ven a mi fábrica y nos encontraremos allí. Ten cuidado, es un viaje largo y peligroso.

Buena suerte y nos vemos pronto.

De tu amigo,

William Jakeman, inventor

REGIÓN DESCONOCIDA
PROBABLEMENTE MUY
PELIGROSA

¡TEN CUIDADO!

Bosque

Altiplano

Montañas

Desierto

Tuberías
al Mundo
Subterráneo

N

¡TEN CUIDADO!

¡Como podéis ver, no es un mapa muy detallado! Sí, se puede ver dónde está la fábrica, y me ha indicado dónde queda el Norte. Pero, aparte de esto, está casi vacío y dice «Región desconocida y probablemente muy peligrosa». ¿Cómo se suponía que tenía que encontrar el camino? Y, todavía peor, no me servía de nada si no era capaz de encontrar la forma de salir del Mundo Subterráneo.

¡Jakeman, eres un plátano tonto y grandote!

¿Y ahora qué?

La mina era un estallido de alegría, pues todo el mundo estaba de celebración. Todos se daban abrazos y se besaban, y se felicitaban mutuamente. El rey gritó tres hurras para Eliza, para Ma, para Tom y para mí. Los trogloditas se daban palmadas en la espalda y gruñían de contento. Todo el mundo era feliz. ¡Todos menos yo!

Continuaba atrapado en el Mundo Subterráneo, y no había manera de que pudiera regresar a casa. Entonces, miré hacia la enorme lata de metal que tenía a los pies y que había caído del costado del topo y ¡tuve una repentina inspiración! Pensé que quizá funcionara. ¡Sí,

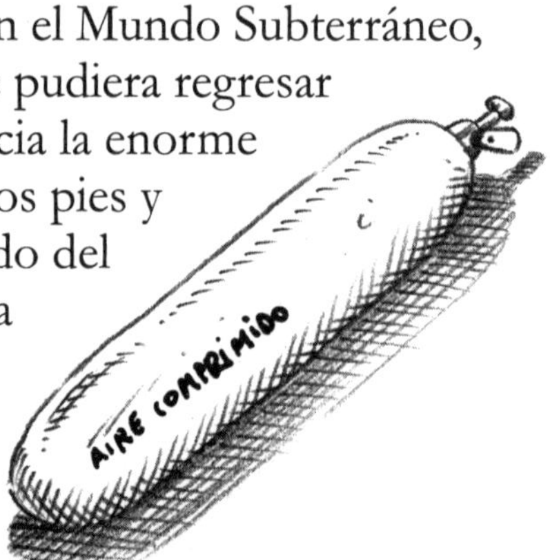

AIRE COMPRIMIDO

seguro que funcionaría! Si pudiera encontrar las tuberías por las cuales me había colado al Mundo Subterráneo.

–¿Sabe alguien dónde están las tuberías? –grité con fuerza para hacerme oír–. ¿Las tuberías que llevan hasta la superficie de las rocas?

–¡Shhh! –ordenó el rey–. Dejad hablar a Charlie.

Repetí la pregunta... pero nadie había oído hablar de las tuberías. ¡Así que eso era todo, estaba acabado! Pero entonces oí una voz débil entre los esclavos trogs. Era Manotas.

–*Man-cha* –gruñó, girándose hacia Eliza–. *Man-cha, man-cha* –repitió mientras hacía unos signos con sus enormes manos.

–Manotas sabe dónde están –dijo Eliza–. Craik ordenó a algunos de los trogs que las excavaran.

–¡Oh, genial! ¿Me puede enseñar el camino? –grité.

–Por supuesto que sí. Pero ¿cómo vas a trepar por ellas?

–Si mi idea funciona, no tendré que trepar –repuse–. Pero primero necesito un par de cosas.

Hora de irse

Todos se apiñaron a mi alrededor.

–¿Qué necesitas, Charlie? –preguntaban–. ¿Qué podemos hacer para ayudarte?

–Bueno, para que mi plan funcione, necesito tres cinturones de piel, un cojín y un gran mantel de mesa –dije.

–Eso no es problema. Te los traeré ahora mismo –dijo Ma–. Es lo menos que puedo hacer, después de todo lo que has hecho por nosotros. Nos encontramos en las puertas del castillo dentro de quince minutos.

Y se fue a toda velocidad.

Recogí la lata que había caído del topo y la miré con detenimiento. Sí, tenía razón. En uno de los extremos ponía «AIRE COMPRIMIDO»; en el otro, había una válvula de seguridad. «Esto tiene que funcionar», pensé.

–Vale, en marcha –dije.

La multitud me siguió fuera de las minas y hasta las puertas del castillo. Me sentía triste por tenerme que despedir de esa gente tan amistosa, especialmente de Tom, Eliza y Ma. Pero no me podía quedar bajo tierra el resto de mi vida. Tenía que llegar a casa.

Al cabo de poco rato Ma llegó corriendo por la plaza.

–Gracias, Ma –le dije.

Até las esquinas del mantel, lo doblé y me lo puse debajo de la camiseta.

–De nada –repuso–. Y ahora, vayas adonde vayas y hagas lo que hagas, ten cuidado. Aquí tienes unos bocadillos. No es gran cosa, el pan está un poco enmohecido y húmedo, pero te llenará el estómago.

Le di un fuerte abrazo y ella me dio el paquete.

–De acuerdo –dije, tragando saliva–. Estoy listo.

–¿Podemos ir con Charlie para ver cómo se marcha? –preguntaron Tom y Eliza.

–Claro que sí –dijeron Ma y el rey al mismo tiempo–. Pero id con cuidado.

Después de despedirnos del rey, de la reina y de Ma, mis dos amigos y yo seguimos a Manotas por la plaza y por las estrechas callejuelas de Subterránea. Manotas llevaba la pesada lata metálica, y avanzamos a lo largo de la orilla del Gran Mar Subterrestre hasta que llegamos a un acantilado. Allí, una entrada escondida nos condujo a un estrecho y accidentado túnel.

Tardamos años, girando por un lado y luego hacia el otro, pero al final vi, delante de mí, la tubería por la que había caído al Mundo Subterráneo.

¡El hombre bala!

A pesar de las miradas divertidas de Tom y Eliza, me até un cojín sobre la cabeza con uno de los cinturones. Luego me colgué la mochila delante del pecho. Até un trozo de cordel de mi kit de explorador a la válvula de seguridad de la lata de aire comprimido. Entonces, con la ayuda de Manotas, me sujeté la gran lata a la espalda con los dos cinturones y la válvula hacia abajo.

–¡Exacto, eso es! –dije. Le di un abrazo a Eliza y unas palmaditas a Tom en la espalda–. Man-cha –le dije a Manotas.

–Buena suerte, amigo –dijo Tom.

Me coloqué bajo la entrada de la tubería, que sobrasalía del techo del túnel y, diciéndoles adiós por última vez, tiré de la cuerda que estaba sujeta a la válvula. La válvula se abrió y la lata soltó un potente chorro de aire. ¡Fiiiuuum! ¡Despegué como un cohete!

Salí disparado por la tubería a cien kilómetros por hora.

–¡Yuuuppiii! –grité.

¡Eso era más divetido que montar a un potro salvaje encabritado! Y, de repente, CRASH, salí por el otro lado de la tubería empujando la tapadera con la cabeza, que salió disparada por los aires. ¡Por suerte, llevaba el cojín atado a la cabeza porque de lo contrario me hubiera quedado sin sentido!

La fuerte luz del sol me cegó. Volé por los aires dibujando un amplio arco y atravesando las nubes. Veía el suelo del desierto pasar velozmente por debajo de mí. Luego el paisaje se volvió de un blanco de nieve, y yo seguía volando, ahora en dirección a una cordillera montañosa. Entonces empecé a ir más despacio y, al final, empecé a caer.

Rápidamente solté los cinturones para

dejar ir la lata de aire comprimido. Mientras caía, me desaté el cojín de la cabeza y me lo até en el trasero. Luego saqué el enorme mantel de mesa de debajo de mi camiseta y lo sujeté por el nudo que había hecho con las cuatro esquinas. El mantel se hinchó en el aire como un paracaídas.

Inicié un suave descenso hacia el suelo, que ahora estaba cubierto por las brillantes copas de los árboles, y al final aterricé con el trasero. Menos mal que llevaba el cojín.

¡Regiones inexploradas!

No tengo ni idea de dónde me encuentro ahora, pero ¡creo que debo de haber caído justo en medio de un trozo inexplorado del mapa de Jakeman!

Parece que me encuentro en una pequeña isla, en medio de una enorme y apestosa marisma. Hay cientos de islas esparcidas por esta ciénaga verde; los manglares llenan el paisaje, y hay multitud de pájaros ¡y de insectos que parecen tener unos aguijones muy afilados!

Según el mapa, la fábrica se encuentra al noroeste, pero no sé exactamente dónde queda el norte. Así que tendré que adivinarlo, seguir mi brújula... y cruzar los dedos. Por supuesto, voy a tener que saltar de isla en isla, si quiero salir de esta apestosa marisma.

Lo primero que quiero hacer es telefonear a mamá. Hace años que no hablo con ella. He cargado el teléfono móvil con el cargador de mano, ¡y por fin he conseguido señal!

–¡Mamá! –le dije cuando cogió el teléfono.

–¿Charlie? ¿Eres tú? ¿Va todo bien?

–Sí, mamá. Estoy bien... ¡He estado atrapado a kilómetos y kilómetros bajo tierra, en una extraña ciudad llena de gente de barro y de trogloditas!

–Suena muy bien, cariño –contestó ella–. Pero ¿no crees que ya deberías volver a casa? Te has saltado la comida. Un momento... ¿quién llama a la puerta? Voy a mirar por la ventana. ¡Ooh! No lo conozco... un hombre extraño con un largo abrigo negro. Mira, será mejor que vaya a ver qué quiere. Adiós, Charlie.

–¡No, mamá! –grité, asustado de repente.

Un hombre con un largo abrigo negro: no era posible que fuera...

¡Oh, no! No es posible que Craik esté llamando a la puerta de mi casa... ¿o sí?

–¿Mamá? –volví a gritar, pero ella ya había colgado.

¡Bueno, ya basta! ¡Tengo que regresar a casa de inmediato! Pero ¿cómo? No sabré cómo llegar a casa hasta que no vuelva a encontrar a Jakeman.

Tengo que salir de esta marisma e intentar llegar a la fábrica. Espero que él haya podido salir sano y salvo del Mundo Subterráneo.

Un momento, ¿qué es ese ruido? Toda la marisma ha empezado a burbujear. Oh, no, algo está rompiendo el grueso y fangoso suelo. ¡Qué horror! ¿De qué se trata?

Es una oreja larga y puntiaguda empapada de barro y un ojo amarillo seguido de una ancha nariz llena de verrugas. Luego, aparece una boca abierta que brama, con la garganta hirviendo como un pote en el fuego. Una peluda garra de uñas afiladas está saliendo del barro y se acerca a mí. ¡Horror! Es una especie de monstruo. ¡Socorro! Que alguien me ayude, por favor...

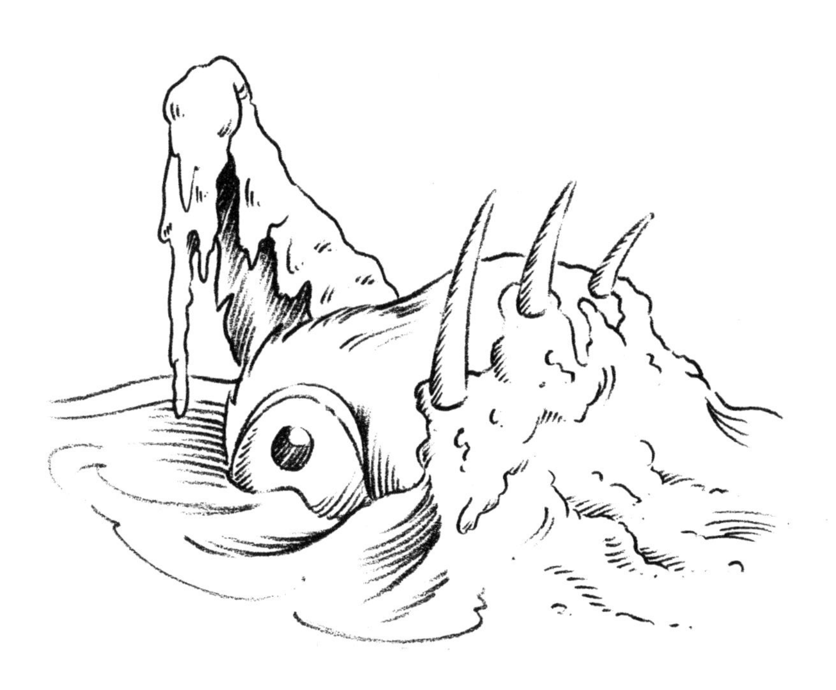

Buena suerte
Charlie,
Tom

ten cuidado,
Eliza

No hagas ninguna tontería,
con cariño, Ma Baldwin.

MAN-CHA,
MANOTAS
Y

Te damos las reales gracias,

Rey Herbert

Reina Hermione

XXXX

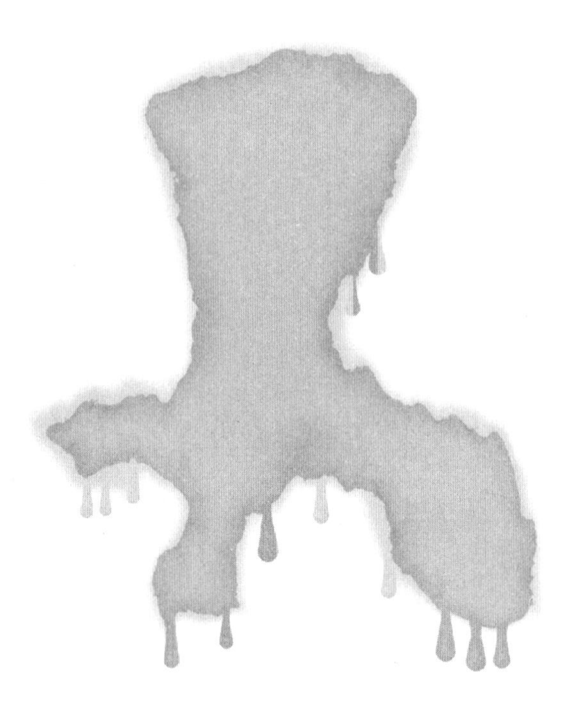